미미에게

목차

아주 먼 곳에서부터
이어져 온 거 알아

책을 시작하며.

안녕하세요. 이윤우입니다.

저는 신(神)을 모시는 사람입니다. 신명이 그려진 탱화를 걸어놓고 점(占)을 보는 사람. 보통 신 제자라고 하지요.

여러분은 저 같은 사람을 어떻게 생각하시나요? 보통 제자들은 신병이라 불리는 재난을 겪고 이 길에 접어드는 익숙한 전개를 지니죠. 매체에서도 자주 다뤘던 주제기도 하고요. 수많은 제자가 그렇듯 저도 그러한 경우였어요.

저는 제 지난한 신병 일대기나, 무속은 이렇다 할 설명을 적을 건 아니에요. 이 얘기는 오로지 저만 할 수 있는 얘기예요.

미미에게

이 책은 제 신(神) 스승님에 관한 글이에요. 보통 신 제자들은 제자가 되면 신 어머니, 신 아버지, 신 스승님처럼 제자로서의 삶을 가르쳐 줄 사람들 밑에서 배우기 시작해요. 스승님으로 말하자면 저와 나이 터울은 적어도 저보다 훨씬 이른 나이에 이 길에 오른 분이에요. 저와는 햇수로 7년째 함께 중이고요.

그는 책 속에서 '미미'라는 이름으로 불릴 거예요. 저는 신 제자 미미뿐만 아니라 인간 미미를 말하고 싶었어요. 무당이라는 직업 뒤에 남과 다를 바 없는 모습으로 사는 미미를요. 피자를 좋아하고 옛것을 좋아하고 카세트테이프 모으기가 취미인. 조금 고리타분한.

나와 그의 주변 사람을 기꺼이 행복하게 하고, 퍽 재미나고 별나게 살아서 이야기가 되던 미미를 썼어요. 미미와 함께 등장할 여러 식구와 친구는 덤입니다. 그들과 같이 있었던 온 시간이 글이 됐습니다. 저희의 삶이 누군가에게 희망이 되기를 바라요. 이렇게 찾아 뵈어 반갑습니다.

함부로 비밀스럽지 말 것

살다 보면 비밀스러운 분위기로 사람을 사로잡는 이들이 있다. 반투명한 유리를 사이에 두고 있는 것처럼 가까이에 있어도 가깝지 못하고, 침범할 수 없는 자기만의 방이 있는 것 같은 사람들.

어릴 때는 비밀이라면 사족을 못 쓰곤 했다. 말하자면 초등학교 시절에는 '너한테만 말하는 비밀이야' 같은 말로 친구와 영원을 약속한 것처럼 돈독 해지는 순간이 있다. 그런 시답잖은 비밀에 (물론 그때는 시답잖은 게 아니었겠지만) 입을 떡 벌리며 우정을 약속했다.

작고 소중하고 때로 부끄러운 비밀은 그렇게 비밀이 아니게 됐다. 기억도 나지 않는다. 말할 수 있어서 기억나지 않을 것이다. 말 못 할 일이었다면 잊을 수도 없을 테니까. 나이를 먹고 생긴 비밀은 내내 비밀이어야만 할 때가 많았다. 치부라던가 상처라던가, 말하자면 뜨거운 숨이 턱하고 목구멍을 막는. 부끄러운 잘못들도 거기 있었고.

근데 세상에 비밀은 없다는 말이 있잖은가. 그 말처럼 비밀로 남아 있는 게 없다. 답답함을 견디지 못해서, 혼자 끌어안자니 마음이 약해서 가까운 사람에게 다 말해버렸다. 마음의 부채를 견디지 못하고, 지은 죄는 씻고 싶고, 상처받은 때를 모른 척하고 싶지 않은 당연한 이치 때문이다. 말하면 훨씬 괜찮아졌다. 말하며 위로받았고 말하며 속죄할 수 있었기 때문이다.

내게는 비밀,하면 생각나는 사람이 있다. 암만 캐물어도 알 수 없는 구석이 있을 것 같고 힘껏 추궁해도 고개를 가로저을 것만 같은 사람. 그가 바로 미미다. 미미는 자체로도 비밀스럽지만 남의 비밀도 많이 알았다. 사람들은 미미에게 속 사정을 말하러 왔다. 누군가를 아프게 했다던가, 욕심에 사로잡혀 남의 불행을 기꺼이 수긍했다던가, 씻을 수 없는 상처가 있다던가-하는. 미미에게 다녀간 사람들은 웃으며 돌아갔다. 해방된 사람처럼, 나아갈 길을 깨우친 사람처럼.

보고 있자면 궁금할 수밖에 없다. 미미는 어떻게 미미가 됐을까.

세상 이치에 달관한 사람처럼, 다 깨달아버린 사람처럼. 나는 그가 어디까지 아는지 알지 못한다. 그의 영역은 내내 비밀스러울 뿐이다.

　누구나 비밀은 있다. 저지른 죄의 모습, 말 못 할 억울함, 누군가 남기고 간 슬픔, 겉과 속이 달랐던 위선의 순간…. 그러나 이건 다 지나간 얘기일 뿐이다. 지은 죄는 속죄하고 위선은 멀리하며, 말 못 할 억울함과 슬픔은 위로받고, 시련은 용기로 지워가면 된다. 세상에 비밀은 없다는 말처럼 털어내지 않으면 언제고 우리를 불러 세울 것이다. 누군가 미미를 거쳐 가며 미소 지었듯 이 글을 읽을 누군가 역시 나아가길 바라본다. 영영 돌아보지 않아도 다 괜찮을 사람으로.

　함께 더 나은 사람이 되고 싶다. 양심을 배신하지 않고, 상처와 슬픔은 호소하고 위로받으면서. 혼자 끌어안고 바닥을 구르지 않으면서. 꼭 함께 그러고 싶다.

아주 다른 두 사람

내게는 바람을 만질 줄 아는 친구가 있다. 그는 텅 빈 국도를 달리다 차창을 열어 손을 뻗고서는 바람 만지는 일을 아는지 묻는다. 나는 뒷좌석에서 그 모습을 따라 해보기로 한다. 창밖에 손을 내놓고 엎치락뒤치락. 바람이 손가락 사이를 간지럽힌다. 친구는 이런 걸 잘했다. 바람 만지는 일, 물보라를 관찰하는 일 같은. 새하얀 보름달을 보러 밤 산책을 나온다던가, 개울 위로 뜨는 윤슬을 보러 멀리 나간다던가 그런 것도 다 잘했다.

바람 만지던 날은 밭에 가는 길이었다. 상추와 무, 고추 따위를 심어둔 작은 밭에. 거기서 상추를 솎았다. 양념만 있다면 밥 한 공기는 훌훌 넘어갈 달고 향긋한 상추. 친구는 어디서 양손 가득 솔방울을 주워왔다. 단단하고 깨끗한 솔방울뿐이었다. 친구는 원래도 뭔가를 종종 주웠는데 가져온 게 다 근사했다. 막 떨어진 꽃잎,

상처 없는 은행잎, 물속에서 반짝이는 조약돌…. 바람이나 물보라 같은 걸 좋아하는 만큼 예쁜 걸 볼 줄도 아는 것 같았다. 내게도 근사한 것만 골라 줬다. 그중 하나가 은행잎으로 만든 책갈피였다. 책갈피는 제 역할보다 더 멋진 일을 했다. 책이 아니라 책상 귀퉁이에 뒀고 볼 때마다 그때가 떠올랐다. 박제된 추억으로 내 자리를 지키는 셈이었다.

친구는 바람을 만질 줄 아는 것만큼 특별한 재주가 많았다. 그중 하나가 구름 읽기였다. 구름이 지상에 가까워지는 건 지상에 좋지 않은 징조라고 점을 쳤다. 하늘에 있을 게 땅과 가까우면 그럴 수도 있겠다고 생각했다. 무엇이든 제 자리에 있어야 화가 없는 법이니까…. 바람 만지는 일, 구름 읽는 일, 좀처럼 말이 되지 않는 일인 것 같아도 다 그럴싸했다. 영 말이 안 되는 얘기들이 아니었다. 그가 바람을 만진다면 만지는 것이고, 욕심에 눈이 멀면 있어야 할 자리를 몰라보듯 구름이 땅과 가까운 게 악재의 징조일 수도 있는 거였다.

그와 나는 하늘과 땅만큼이나 먼 곳에 있다. 그가 그런 사람이면 나는 과학을 믿는다. 그러나 우리는 헤어질 수 없다. 자연이 온 과학을 설명할 수 없듯 과학이 온 자연을 설명할 수 없다는 걸 알기 때문이다. 사는 건 그런 일이다. 믿는바 전부가 아님을 받아들이는 일, 내 세상이 맞다 확신하지 않는 일. 그를 통해 본 세상이 없었다면 내 세상은 좁은 방에 지나지 않았을 것이다. 말이 되고 모습이 된 건 다 그럴만한 이유가 있다. 과학적 증명이 힘을 가지고 친구의 은행잎이 내 세상에서 힘을 가지는 것처럼 존재는 맞는 자리에 맞게 쓰일 것이다.

어느덧 여름이 간다. 계곡 물놀이도, 바다도 이제 한 수 접어야 한다. 단풍이 들면 먼 산에 다녀올 것이다. 그는 다시 단풍잎을 주워 올 것이다. 다른 추억으로 책상 위에 박제될 것이다. 2023년 여름은 길고 소란했다. 가을은 괜찮을까. 지난 계절과 달리 누구든 살아나는 계절이 되면 좋겠다. 죽지 않는 계절이면 좋겠다. 약해진 몸을 되찾고 마른 곳에 물을 줬으면. 나도 그리해보려 한다./2023년 늦여름

균형의 수호자

선의 모습에는 여러 종류가 있다.

목적과 이유를 불문한 선, 자기 자신을 위한 선, 악인 줄 모르는 선, 선으로 위장한 악까지. 지난날 나는 자기 자신을 위한 선에 서 있다. 타인을 돕고 싶지 않아도 선한 사람으로 보이고자 돕는 척 위장한 경우였다. 가면이란 언젠가 벗겨진다는 말처럼 오래가진 못했다. 미미와 함께한 후 진심의 가치를 다시 배웠다. 위장한 마음, 본심과 다른 행동, 그런 건 살아남지 못한다고, 남들 눈은 다 속여도 자기 자신은 속이지 못하기 때문이라고 미미가 그랬다.

악인 줄 모르는 선. 그건 타인의 입장을 충분히 생각지 않을 때 드러난다. 모른 척 넘어갔으면 싶은 일을 안부차 묻는다던가, 일부러 이러나 싶을 만큼 듣기 싫은 말을 하면서 천진난만한 표정을 짓는다던가, 조언이랍시고 광역적 오지랖을 부린다던가. 좋은 마음에 그랬다지만 조금만 남 생각을 했다면 안 그랬을 일들. 안부일 뿐이라는 사과는 아무 힘도 없다.

선으로 위장한 악은 목적이 분명하다. 타인의 못남을 후광 삼아 자신을 돋보이기 위해 마음 쓰는 척 연기한다던가, 일부러 비교되는 이미지를 계획하고 남들 입방아에 오르내리게 한다던가. 이들은 보이지 않는 칼로 남을 위협하고 계획한 이미지로 도망친다. 가해자 없는 세계에 피해자만 있을 뿐이다.

이렇듯 선과 악은 곧이곧대로 알 수 없는 것 같다. 선인 줄 믿었으나 악이었고, 결백한 진심인 줄 알았으나 계획된 이미지에 지나지 않을 때가 있었다. 그러나 이게 전부는 아니다. 선으로 위장한 악이 있는 것처럼 악으로 위장한 선도 있다. 선을 위해 악역을 자처하는 경우들 말이다. 그들은 쉽게 만날 수 없다. 나는 그들을 인생의 스승이라 부르고 싶다. 이들은 눈에 보이는 선만이 다가 아님을 알고 있다.

자식을 위해 훈육을 아끼지 않는 부모, 듣기 싫은 말인 줄 알면서 계속하는 스승, 따끔한 충고를 서슴지 않는 친구, 사람은 누구에게나 좋은 사람으로 남고 싶건만 그들은 이 법칙을 깨부순다. 악역을 맡아도 억울해하지 않는다. 내게는 미미가 그런 사람이었다.

미미는 누군가는 하기 싫은 말을 해야 한다고 했다. 조금 더 견딜 줄 아는 사람, 조금 더 괜찮은 사람, 조금 더 마음 넓은 사람의 역할 같은 거라고 말이다.

제 말에 귀 기울이면 더 큰 걸 주려던 게 그들이었다. 나무보다 숲을 보는 데 능숙하고 희생에 생색낼 줄 모르는 사람들. 따끔한 충고를 서슴지 않다가도 돌아서 눈물 흘리던 사람들. 인생의 스승이라는 말이 잘 어울리는 사람들. 선으로 위장한 악이 도사리는 곳에서 그들은 균형의 수호자 역할을 해내고 있는 걸지도 모른다.

우리의 선은 어디를 가리키고 있을까. 타인인지, 자기 자신인지, 혹은 선이 아니었는지. 언젠가 우리에게 찾아온 인생의 스승은 누구였는지. 아직 만나보지 못한 것 같다면 내가 그런 역할을 해보는 건 어떨지. 결백한 선은 해내기 어렵고, 악역을 자처한 선은 큰 용기가 필요하지만 그 용기가 나와 세상을 바꿔낼 거라고 믿어 의심치 않는다.

결백한 선이 인정받는 세상, 위장하고 둔갑한 가짜가 아니라 투명한 선을 알아주는 그런 세상을 꿈꾼다. 진짜 선은 시간이 한참 흐른 뒤에야 모습을 드러낸다지만 기어코 선이 승리한 세상 말이다. 시대는 발달했고 위장은 능숙하며 기어코 이기는 게 가장 중요하다지만 마지막은 진심이었던 사람들의 자리이길 바란다.

미미에게

이면 1

이면 [裏面] : 겉으로 나타나거나 눈에 보이지 않는 부분.

왠지 험상궂게 생겼단 이유로, 말씨가 조금 쌀쌀맞다는 이유로 썩 근사하지 못한 사람이란 소리를 듣는다. 매일 같은 옷을 입는단 이유와 티 나게 돈을 아낀단 이유로 변변치 못한 사람이란 말을 들을 때도 있다. 그러나 우리는 그들의 이면을 알지 못했다. 언제나 섣불리 도마 위로 올리기 바빴다. 나는 그들이 어디로 갔는지 알지 못한다. 어딘가에서 같은 소리를 듣고 있을지, 마음의 문을 영영 닫아버렸을지, 운 좋게도 괜찮은 사람을 만나 이해받고 있을지. 그들은 언제나 이해받을 기회를 얻기도 전에 그런 사람이 될 뿐이었다.

첫 만남이 별로였단 이유로 두 번 보기 싫은 사람이 된 적 있었고 단 한 번의 말실수로 경박한 사람이 된 적 있었으며, 나와는 다른 생각을 가졌단 이유로 격리되기도 했다. 그들 가운데 내 인연이 있을지도 모를 일이었다. 조금 더 들여다보지 못해서, 한 번 더 생각해보지 못해서, 나만의 세계만이 정답이라 믿는 고집에 눈이 멀어서 그들은 사라졌다. 그렇게 우리는 혼자 남겨질 때도 있었다. 그곳이 우리가 만든 감옥이라는 것도 모른 채 말이다.

타인의 이면뿐만 아니다. 우리는 우리의 이면도 알지 못할 때가 있었다. 지금껏 몰랐던 내 모습을 발견할 때라던가, 완전히 정반대의 성격을 갖고 있었다던가, 인생을 살다 보면 누구나 몰랐던 자신을 발견할 때가 있잖은가. 간절한 목표가 있어도 스스로 용기 없는 사람이라며 포기하고, 비상한 사람이면서 할 수 없다고 마음먹는 것도 자신의 이면을 몰라 저지른 실수였다. 스스로를 단정 짓는 일은 우리 앞에 있을 행운을 그르치기도, 자신이 만든 동굴 속에 고립시키기도 했다. 그건 신속하고 편리했지만 아무것도 바꿔낼 수 없었다.

끝날 때까지 끝난 게 아니란 말이 있다. 나는 이 말이 죽기 전까진 모른단 소리로 들린다. 한평생 무뢰한이었던 누군가가 새사람이 될 수 있고, 희대의 악인처럼 보였던 이가 선(善)을 위해 총대를 잡을지도 모르며, 누구에게나 칭송받던 사람이 지저분한 사연을 감추고 있을지도 모를 일이었다. 우리 자신도 그렇다. 바라던 곳으로 발을 디디려 해도 그게 되겠냐고 섣불리 의심했다. 용기를 갖기도 전에 잃어버린 것처럼 굴었다. 쉽고 힘없는 편견으로 사라진 인재는 셀 수 없이 많을 거였다.

쉽게 열광하고 쉽게 사그라들며 쉽게 칭송하고 쉽게 질타하는 시대가 온 것 같다. 섣부른 예측과 의심이 모나고 삐걱거리는 건 줄 알면서도. 누가 먼저 그리했을까. 누군가를 단정 짓던 우리였을까, 스스로를 단정 짓던 우리였을까. 사람들이 용기를 내주길 바란다. 누군가의 사정을 믿어보는 용기, 도전을 추진하는 용기, 편리에 안주하지 않는 용기까지. 그래, 끝날 때까진 끝난 게 아니다. 한 치 앞을 모르는 게 인생이라는 오래된 말처럼.

쉽사리 남을 결정짓지 않는 사람이 자신도 결정짓지 않을 수 있다고 믿는다. 어느 인생이나 예외는 있다. 그것을 가능성이라 부를 수도 있을 것이다. 타인의 가능성과 나의 가능성을 함께 믿고, 서로 기대어 걸어가길 바란다. 부족함도 눈 감아 주는 아량, 힘에 부쳐도 용기를 줄 줄 아는 어른의 모습으로 말이다.

사주팔자라니 그게 다 뭐라고

사주란 태어난 년, 월, 일, 시를 뜻합니다. 저는 1994년, 음력 8월 7일, 오후 4시에 태어났어요. 사주로 말하면 갑술년, 계유월, 신축일, 병신시-가 될 수 있겠군요. 사주팔자라는 말 들어보셨죠. 그는 사주를 구성하는 글자가 총 여덟 개라 사주'팔자'라 불립니다. 제 사주에 빗대면 갑술년, 계유월, 신축일, 병신시 즉, 갑/술/계/유/신/축/병/신-이라 사주'팔자'인 겁니다.

많은 분이 한 날, 한 시에 태어나면 사주가 같은 셈이니 삶이 같은 거냐는 의문을 가지시더라고요. 그렇지 않습니다. 사주가 같더라도 그들의 부모, 그들의 조상, 윗대가 어떤 공을 세웠고 어떤 업을 지었느냐에 따라 다른 인생을 살아요. 이 차원으로 넘어가면 보통 사람은 보이지 않는 영역, 믿음의 영역으로 접어드는 거라 큰 언급은 삼가겠습니다. 손님들한테는 보이는 걸 다 말씀드리지만 글을 읽어주시는 분들은 손님들과는 다른 곳에 계시니까요.

사주는 오행이라는 성격을 가집니다. 목(나무), 화(불), 수(물), 토(흙), 금(금)-이라 다섯 가지, 즉 오(五) 행입니다. 사주에 나무가 많으니 물이 많은 사람을 만나라, 불이 없으니 불이 많은 사람을 만나라-식의 이야기를 한 번쯤 들어보셨을 텐데요. 이 얘기도 반은 맞고, 반은 틀립니다. 단순히 어떤 오행이 많고 적은지에 따라 만날 사람을 구분 짓는 건 요즘 말로는 일반화의 오류 같은 겁니다. 사주에 나무가 많다고 물이 많은 사람을 만나면, 가뜩이나 무성한 나무가 하늘을 가릴 만큼 자랄지 모를 일이고, 불이 없다고 무작정 불이 많은 사람을 만나면 급작스레 화염이 닥쳐 놀랄지 모를 일입니다. 사주는 어떤 오행이 있고, 어떻게 작용하며, 어떻게 쓰는게 현명한가를 따져야만 합니다. 성급한 일반화의 오류를 범하기에는 퍽 위험한 데가 있는 거죠.

좋은 사주, 그렇지 못한 사주가 있다면 좋은 사주는 균형이 잘 잡힌 사주입니다. 젊어서 큰 부나 명예를 얻거나 죽을 때까지 호사를 누리는 것도 좋지만, 좋은 사주는 다른 차원인 것 같습니다. 어느 인생이든 대운이라 불리는 좋은 시절이 있고, 고난과 역경의 시기가 있는데요. 좋은 사주는 개인의 성정이 바르고 맑아서 어떤 대소사든 균형감 있게 지내는 경향이 있습니다. 이런 겁니다. 대운이 붙었다고 해서 자만하고 우쭐댄다면 내리막길을 걷기 마련이고,

고난이나 역경 속에서도 힘껏 살아보려 한다면 발을 내디딜 수 있는데 이 이치를 몸이 기억하는 거죠. 그렇다면 타고나기를 그렇지 못한 사주였대도 얼마든지 좋아질 가능성이 있다는 뜻이기도 합니다. 스스로 얼마나 힘껏 노력하고, 바르게 사느냐에 따라 달라질 수 있다는 뜻이니까요.

저는 정해진 운명이라는 말을 싫어하는 편입니다. 사람을 낭떠러지로 미는 말처럼 들려서요. 특히나 악재가 이미 정해져 있다는 말은 얼마나 끔찍한지요. 무슨 수로도 해결할 수 없고, 누군가는 억울해져야만 하는 말처럼 들립니다. 그래서 손님들께도 어디서 점을 보시든 필요한 말을 잘 발췌해서 듣고, 당신의 줏대를 잃지 말라는 말을 꼭 해드리는 편입니다. 물론 점을 보다 보면 인간의 힘으로는 해결할 수 없는 일이 보이기도 해서 그에 따른 처방도 말씀을 꼭 드리는 편이고요. 사주, 운명, 정해진 팔자, 다 의문스럽고 신비한 말들입니다. 그러나 한 사람의 인생은 선택 앞에 얼마나 신중하고, 얼마나 힘껏 사는지에 따라 순식간에 뒤바뀝니다. 즉, 암만 신비해도 자기 자신과 주변을 돌볼 줄 안다면 웬만큼은 공부가 되는 게 운명이라는 겁니다. 어느 손님께는 앞으로 점 보지 말고 그 돈으로 맛있는 밥 한 끼 사 먹으라고 한 미미가 생각나는 밤이네요. 우스운 말 같지만 어떤 인생은 제때 챙기는 끼니가 절실하기도 하니까요.

글을 읽고 쓰는 사람들은 기민하고 생각이 많은 사람이겠지만 남들은 놓치는 걸 보고, 어떤 사물이든 속 깊이 알아내는 경향이 있으실 겁니다. 그렇듯 사주란 건 양날의 검 같은 겁니다. 무작정 좋고 나쁘다-로 양분하는 게 아니라 어떤 성정이고, 어떻게 쓰이는 게 옳은지 봐야 하는 영역입니다. 기민하고 생각이 많아 때로 슬퍼지지만 그 슬픔이 만들어 낼 근사한 가능성을 보는 영역입니다. 그러니 어디서든 잘 살아가셨으면 합니다. 사주든, 운명이든 다 제쳐 두고 나 자신, 내가 지켜야 할 사람들, 나를 지키는 사람들에게 집중하면서요. 삶은 사주로 구성된 건 둘째고 나를 사랑하고 도움 주는 사람이 함께 만든 결과물로 보는 게 정확하거든요. 도(道)를 잊지 않으면 어떻게든 살아남는 게 인생이라는 거 꼭 기억하셨으면 합니다.

우리는 살아내겠다는 말을 매일 달리하고

나는 청사포 바다를 좋아했다. 내가 좋아하는 찻집, 내가 좋아하는 식당, 내가 좋아하는 파도가 한 데 있었다. 다 같은 바다라도 그곳은 달랐다. 누구에게나 맞는 바다가 다르다면 나는 그곳이라고 말해도 될 만큼. 나는 청사포 바다 앞에 차를 대놓고 음악을 듣거나, 생각을 모조리 지워버리거나, 소원을 자주 빌었고 옆자리는 늘 미미의 것이었다. 우리는 다른 방식으로 그곳을 기억했다. 내게는 비우는 곳이라면 미미는 담아오는 곳이었다. 미미의 휴대폰 앨범 속에는 청사포 사진이 많았고 미미는 그 사진들을 자주 꺼내 봤다.

청사포 바다는 영영 거기 있을 거라는 생각을 했다. 그 생각은 언제든 돌아갈 곳이 있다는 말과 비슷했다. '돌아갈 곳이 있다' 나는 돌아갈 곳이 있다는 말처럼 아늑한 말이 몇 개나 될까 세어본

적이 있다. 손가락을 다 접지 못하고 끝내버릴 말들. 처음부터 인생은 아늑한 말이 조금밖에 주어지지 않는 걸지도 모른다.

비슷하게는 꾹꾹 눌러 읽겠다는 말이 있다. 어떤 글은 내 세상과 닮아 오래 기억됐으면 했다. 그때 꾹꾹 눌러 읽는다고 말한다. 마음께 잘 간직하겠다고, 언젠가 다시 보고 위안을 구하겠다는 걸 대신하는 셈으로. 미미가 써준 편지, 오랜 손님이 보낸 엽서, 온통 다정했던 답장들, 다 그런 것들이다. 돌아갈 곳이 있다, 꾹꾹 눌러 읽겠다, 미미가 지난 청사포 사진을 볼 때마다 너무 좋았다고 탄성을 내는 거, 다 같은 말인 것 같다. 순식간에 다 괜찮아지는 힘 있는 말들. 공급이 적어서 쓸 때마다 쓸 때마다 새것 같은 말들.

미미는 그런 말들을 잘했다. 나에게도, 다른 사람에게도 잘했다. 아무리 노력해도 운이 없어 안 풀린다 싶은 애달픈 인생을 관통했다. 얼마나 억울하겠냐고, 운도 실력이라는 말만큼 날카로운 말도 없다고. 아무리 열심히 살아도 못된 놈 앞에서 속수무책이라면 코앞의 성공에서 마지막 관문처럼 넘어야 할 산이 등장한 거라고. 사는 게 아니라 살아내는 쪽에게는 살아 있어 줘서 고맙다고. 그건 자꾸만 살게 만드는 말들이었다. 미미는 돌아갈 곳 같은 사람이었다. 누군가에게 돌아갈 곳이 되어 주는 사람은 세상에 꼭 필요한 사람처럼 머무는 것 같았다. 어디서도 볼 수 없어 드물고 눈부신 형태로.

한 사람의 말로 또 다른 인생이 살아갈 수 있다면 그런 글을 쓰겠다고 미미 덕분에 생각한 것 같다. 미미 말을 닮은 글 말이다. 가을이 오면서 청사포는 더 푸르게 보인다. 온통 여름일 때는 몰랐다. 그땐 다 푸르렀으니까. 시간이 지날수록 대비되는 것들이 있다. 가을과 겨울에 보는 바다가 더 새파랗고 환한 것처럼 쌀쌀한 날씨에는 더 따뜻하게 들리는 말들이 있을 것이다. 찾아올 계절에는 아늑한 말이라면 손가락을 더 접을 수 있을지 모른다. 그 말이 어디로 갈지는 모르겠다. 나는 미미 옆에서 누군가 살아갈 말을 계속 찾고 있을 뿐이다. 더 살아내자고, 잘 살아가자는 말을 내내 달리 쓰고 있는 걸지도.

서른이지만 미운 네 살 1

민규를 처음 만난 건 24살 가을이었다. 그때 나는 서울에 살았고 한 주에 한 번 미미의 집이 있는 부산에 갔었는데 그곳에서 민규를 처음 만났다. 하루는 대전에서 민규라는 친구가 왔고 밖에서 보기로 했다는 미미의 말에 나는 네 집에서 기다릴 테니 다녀오라고 했던 것 같다. 만나기 싫어서였다. 그 전부터 민규에 관해 얘길 들었고 사진도 봤었는데 그 애가 생긴 게 나와는 안 맞겠다 싶은 단순한 이유였다. 나는 얼굴이 반반하게 생긴 남자애가 싫었다. 그런 애들은 반반하게 생겨 먹은 걸 스스로도 잘 알거나 자신이 어떤 식으로 소비되는지 아는 경우가 많아서였다. 다 그렇지 않다는 건 안다. 적어도 나의 개인적이고 사사로운 의견 속에서 민규는 그 애의 늠름한 자존심을 맞춰줄 일이 많을 것 같았다. 반반한 얼굴만큼이나 집에 돈이 많고, 고생도 안 해본 것 같은 맨질맨질한 세계를 나마저도 알 필요는 없다고 생각했다.

비슷한 방식으로 그 애를 만날 기회를 두어 번 더 미뤘다. 그해 가을이 되었을 때, 미미의 집으로 찾아온 그 애를 피할 수 없었을 때, 그게 그 애와의 첫 만남이었다. 민규는 사진처럼 생겼고 생각했던 걸음걸이였다. 나만큼이나 첫 만남에 말수가 적었다. 미미와 나, 민규가 셋이 모인 자리에서는 중간에 놓인 미미가 말을 많이 해야 했고, 나도 그 애도 서로가 어려웠던 탓인지 대화가 쉽게 이어지지 않았다. 몇 시간쯤 있었을까. 미미의 집에 찾아온 사람들이 다 그렇듯 민규도 고민이 있었고 그 애가 미미에게 고민을 말해서 덩달아 듣게 됐다. 내 예상과 다른 곳을 향하던 그 애의 크고 깊숙한 고민. 집에 있는 돈이나 쓰며 여자나 만나고 다닐 것 같은 맨질맨질한 세계가 아니라 말로 다 못 할 마음이 뒤섞여 물처럼 흘러내리는 그 애의 세계를 나는 그날 처음 만났다.

지금부터는 믿음의 영역이다. 나는 이 글을 읽는 사람들에게 결코 우리가 사는 세상을 강요하는 바가 아님을 미리 선포한다.

민규의 얘기를 다 들었을 때, 나는 미미가 어째서 민규와 친구로 지내는지를 알았고, 어쩌면 나도 민규와 친구로 지낼 수 있을 것 같다고 생각했다. 민규의 고민은 마음이 유약하고, 제법 어리석고, 남을 잘 속일 줄 모르는 사람이라고 말하고 있었다. 그 애가 생긴 것만큼이나 영악하고 남 눈을 가리는데 능숙했더라면 결코 하지 않았을 고민. 그러나 민규가 꼭 안타깝지만은 않았다. 휘청거리는 그 애의 세계는 예상 밖이었지만, 그 애가 줏대가 있었더라면, 좀 더 용기 냈더라면 그 애는 전혀 다른 삶을 살 수 있기 때문이었다. 미미는 그 애를 다른 쪽으로 걷게 하려고 애쓰고 있었다.

서른이지만 미운 네 살 2

민규와 나의 첫 만남이 7년 전이듯 그때 그 애가 어떤 표정이었
는지는 흐릿하게 남아있다. 슬프다던가, 울고 싶다던가, 답답하다
던가. 말하자면 온통 슬퍼서 누구의 말도 안 들리는 사람 같았다.
살다 보면 그런 사람들이 있다. 무슨 수로도 도움이 되어 줄 수 없
을 것 같은 사람 말이다. 나는 그런 종류의 사람을 잘 알아보는 쪽
이었다. 미미를 만나기 전에는 나도 그랬으니까. 그 애와 친구가 될
것 같은 것도 그 애가 예전의 나와 사뭇 닮은 데가 있어서였다. 어
둡고, 알 수 없고, 자꾸만 그리워하는. 그리움이 습관이 된 사람들
은 무엇을 그리워하는지 대답할 수 없다. 자신도 모르기 때문이다.
정확히 알 수 없지만 살다 보니 나사가 툭 하고 빠졌는데 어디가
빠졌는지, 어디서 빠졌는지 모르는 기분을 살 뿐이다. 민규도 비슷
했다.

그 애의 여러 고민 중 내가 해결해 줄 수 있는 건 아무것도 없었다. 누구의 고민이든 마찬가지겠지만 해결책을 실행에 옮기는 건 자기 몫이기 때문이다. 마음을 강하게 먹고, 앞으로 잘 살겠다는 다짐은 자기 몫인 것처럼. 민규의 고민은 크게 두 가지였다. 하나는 아버지의 그늘을 벗어날 수 없다는 것, 두 번째는 심한 우울증을 앓고 있다는 거였다. 간혹 성공한 아버지 밑에서 호사를 누리고 자란 사람들이 그렇듯 무슨 수를 써도 아버지라는 벽을 넘을 수 없을 것 같다는 생각에 사로잡혀 있었고, 나아가서는 잘 해낸 일, 칭찬받을만한 일도 고작 그것밖에는 안 된 일처럼 느끼고 있었다. 이해가 안 되는 건 아니었다. 아버지는 그 애를 내내 유복한 사람으로 살게 했으니까. 자식을 위해 안 한 거라곤 없는 아버지니까. 지금까지 민규의 삶이 힘껏 살아내는 게 아니라 누려온 쪽이라면 아버지의 품이 지극히 거룩할 수밖에 없다고 생각했다.

그 애의 낮은 자존감으로 미루어 볼 때 우울증은 당연한 일이었다. 범람하는 감정에 속수무책으로 휘둘릴 때마다 미미를 찾는 것 같았다. 그때 민규는 하루에 열두 번도 넘게 미미에게 전화를 걸었다. 나는 빈 시간마다 전화를 받아주는 미미가 대단할 뿐이었다. 문제는 미미가 전화를 받지 않을 때, 업무를 볼 때, 그때마다 민규가 불안에 몸서리친다는 거였고 연애를 하는 게 그 애의 최선이었는지 여자를 참 많이도 만났다는 거다. 큰일들은 여기서 많이 터져 나왔다.

우리가 점을 보는 사람들이라 잘 알았던 건 민규가 여자 때문에 폭삭 망해도 모자란 팔자라는 거, 빌어주지 않으면 명이 짧은 사주라는 거였다. 후자는 민규 아버지도 알고 계셨는지 그 애가 태어날 때부터 절에 이름을 팔고 매년 빌어주셨다고. 그 무렵 민규가 만난 여자들은 민규에게도, 그 여자에게도 덕이라곤 없었다. 만나고 헤어질 때마다 그 애 우울증은 조금 더 심해지거나 많이 심해지거나였고 잦은 간격으로 허물어지는 그 애 마음을 미미가 수습했다. 인연이 아니라고 미리 말했잖느냐, 만나면 좋지 않을 거라고 얘기했잖느냐, 많이 힘들면 어서 법당에 와라, 그와 비슷한 말들을 했고 민규가 이번만큼은 괜찮은 사람 같다며 고집을 부릴 때는 네 멋대로 하라며 언성을 높이는 미미도 보았다. 만약 미미가 단 한 번이라도 틀렸더라면 민규 고집에 미미 말을 들을 리 없었다. 모든 일은 미미의 예측대로였다.

미미에게

서른이지만 미운 네 살 3

민규가 여자 때문에 폭삭 망해도 모자랄 팔자라는 건 구체적으로 증명할 필요도 없었다. 우울증에 시달린다는 이유로 수많은 여자를 만나는 내내 그 애가 어떻게 망가지는지 두 눈으로 확인할 수 있었으니까. 이성 관계가 복잡한 사람이라면 응당 그럴 것이라는 생각은 섣부를 수 있다. 세상에는 마음껏 즐기면서 잘만 사는 사람도 있는 법이다.

미미도 나도 그런 민규를 이해해볼 수는 있었다. 우울증이라는 게 사람을 어떻게 만드는지는 제각각이니까. 무릎을 끌어안고 눈과 귀를 막은 사람이 있는가 하면 고장 난 마음을 두드려줄 구원자를 찾아다닐 수도 있는 거였다. 그러나 그의 애인이 그에게 구원이 아니라면, 그가 그의 애인에게 비겁한 무뢰한일 것 같다면 나무라야만 했다. 미미에게는 신도로서, 내게는 친구로서 말이다.

우리가 사는 세상을 강요할 생각은 없다. 오로지 나의 세상에 빗대어 말하자면 그 무렵 미미는 민규에 관한 꿈을 많이 꿨다. 열 대 가까운 차가 연쇄적으로 들이받는 꿈도 그중 하나였고 미미는 민규에게 여자 만나러 멀리 가는 걸 조심하라고 얘기했다. 괜찮을 거라고, 별일 없을 거라고 민규는 평소처럼 고집을 부렸다. 당시 미미는 민규가 그럴 것도 알았는지 아무 일 없게만 해달라며 밤낮으로 빌었고, 실제로 누군가를 만나러 서울로 차를 몰던 민규의 바로 앞까지 십 중 추돌 사고가 났다. 누군가는 다치고, 누군가는 죽고, 누군가는 영영 가슴이 아릴 큰 사고. 속도를 조금만 더 냈더라면, 앞차를 앞질러 갔더라면 그 애도 사고 한 가운데 있었을 것이다.

미미의 꿈은 정확했고 그 애는 미미의 기도 덕에 산 것처럼 보였는데 당시의 충격이 컸던 탓인지, 사고 순간 제 팔자도 맞닥뜨린 건지 깨우친 사람처럼 보였다. 재난의 문턱에 다다라야만 더 나은 곳으로 향하는 삶이 있다면 그건 나나 민규를 두고 하는 말 같았다. 죽을 고비를 넘겨 보고서야 신을 받은 나나, 갖은 고집을 부리면서도 사고 목전에서 깨우친 민규나 모두 미미가 필요한 사람들이었다. 미미는 우리 중 가장 먼저 생(生)의 모서리에서 발걸음을 돌린 사람이기 때문이었다.

그날 이후, 민규도 바로 살겠다고 노력했거니와 미미가 매일 밤낮 할 것 없이 빌어놓은 덕인지 그 애가 자그마치 6년을 연애 한 번

안 했다면 어떻게 생각할지. 애가 많고 명이 짧아 오래 살 수 없을 거라던 말에 방방곡곡 이름을 팔아주던 그 애 아버지 몫도 있겠지만 민규는 알고 있었다. 한 치 앞도 모르는 인생을 얼마나 만만하게 봤는지, 물기를 껴안고 썩어가는 마음도 사랑을 찾으면 다 될 거라는 식이 얼마나 이기적이었는지, 그렇다면 누가 그곳에서 자기를 끌어올렸는지 말이다.

나는 민규가 방향키를 돌려 새로운 곳으로 물길을 틀던 모든 시간을 지켜봤다. 사람과 사랑에 무너지지 않고, 센 물살은 멀리서 때를 기다리고, 어느덧 제법 높은 파도도 넘어가는 법을 익히던 민규를. 다시 연애를 하고 싶냐는 물음에 그 애는 때가 오면 이라고 답했고, 우리도 그 애도 언젠가는 그때가 올 줄 알고 있었다. 마냥 한갓진 사랑에 눈이 머는 게 아니라 누군가에게 영원한 편이 되어줄 수도, 희생해줄 수도 있을 만큼 단단하고 여유 있을 그런 때가 말이다.

우리는 벌써 7년을 함께 했다. 첫인상은 오해였고, 가까워지는 내내 답답했으며, 결국 친구가 됐다. 나는 민규와 친구 된 걸 감사하게 생각한다. 민규는 바뀌지 않을 거라는 확신이 계속됐더라면, 그 애가 사는 세상을 들여다보지 않았더라면 보란 듯 달라진 지금의 민규도 만날 수 없었을 것이다. 나는 이제 그 애가 더 늠름해질 거라고, 어디서도 손색없는 사람이 되어 갈 거라고 믿어 의심치 않

는다. 혹자는 말한다. 사람은 변하지 않는다고. 하지만 그 애를 빗
대 대답할 수 있을 것 같다. 사람은 더 나아질 수 있다고 말이다.
다른 세상에 있을 또 다른 민규는 지금 무슨 얼굴을 하고 있을까.
나는 민규의 지난 얼굴을 모조리 기억한다. 그리고 또 다른 민규
역시 지금의 민규를 닮아갈 수 있다고 확신을 보내고 싶다. 그곳이
어디든, 얼마나 멀든.

미미에게

이면 2

이면 [裏面] : 겉으로 나타나거나 눈에 보이지 않는 부분.

가능성을 믿기 어려운 시대인 것 같다. 출발선이 다른 것 같단 이유로 꿈을 쉽게 포기하고, 자그마한 티끌이 한평생 죄인의 삶을 살 것처럼 낙인이 되고, 사연을 듣기도 전에 신속히 판단한다. 세상 살기가 훨씬 팍팍해져서인지, 너무나 살기 편해져서인지는 잘 모르겠다.

그렇듯 섣부른 판단이 반려한 무수한 가능성이 있다. 우리의 인내 없음과 편견이 떠나보낸 인재들 말이다. 그러나 세상에는 무엇보다 힘이 셌던 편견을 이겨낸 이들도 있다. 타인의 곡해, 사회의 편견, 자신은 안 될 거라는 잘못된 판단과의 전쟁에서 승리한 이들. 그들은 어떻게 그들이 되었을까. 나는 그것을 용기라고 본다. 벽을

허무는 일은 용기 낼 때 시작되는 것처럼 보인다.

그래, 바로 용기다. 그들에게서 가장 먼저 보았던 건 틀림없는 용기였다. 인생이 한없이 미끄러지지만 않을 거란 용기, 과거와 다른 삶을 살고자 하는 용기, 결국은 해내고 말 거란 용기. 무너지길 권장했던 타인께 속지 않고 자신의 능력치를 함부로 재단하지 않으며, 반드시 새사람이 될 수도 있다는 믿음을 잃지 않는 데는 가장 먼저 용기가 필요했다. 그 용기가 어디서 오느냐고. 그 누구도 아닌 자기 자신에게서였다. 어쩌면 그런 걸 줏대라 부르는 걸지도 모를 일이었다.

모든 일이 다 그렇듯 내게는 글쓰기에 용기가 필요했다. 외면받지 않을 거라는 용기, 외면받아도 괜찮다는 용기, 실패해도 딛고 일어서겠다는 용기. 그 용기는 미미에게서 왔다. 그는 하면 된다는 식의 요즘으로는 퍽 고리타분한 말을 자주 했다. 무작정 하면 된다는 식의 대수로운 말이 아니었다. 가능하다면 하고 될 수 있으면 하겠다는 대세와는 달리, 하면 될 거라고 주문을 외우듯 말했는데 그건 미미가 한 수 앞을 볼 줄 알아서 가능한 말이었다. 이를테면 편견을 외면할 줄 아는 마음을 가졌는지, 그런 마음을 가지려 노력할 줄 아는지, 스스로의 모서리를 깎고 나아갈 줄 아는지, 그런 게 있다면 하면 된다고 말했다. 그런 마음이라면 엎어져도 가능성을 믿고, 모든 선택을 경험의 자산으로도 인정할 줄 알게 되기 때문이다. 사람들은 미미 말로부터 자신을 돌아보거나, 그런 사람이 되겠다고 다짐하거나, 그런 사람이 되어 돌아왔다. 사람은 정녕 어떻게 마음먹느냐에 따라 땅과 하늘만큼이나 먼 결과를 만드는 게 틀림없었다.

보지도 못한 일을 판단하거나 한 치의 오차도 허용치 않는 완벽만을 추구하는 게 요즘이라면 마음먹는 일이 좀처럼 쉽지 않다는 걸 안다. 내가 말하고자 하는 건 그런 세상이라도 가능성은 있다는 거다. 원하는 모습으로 살아갈 가능성이, 지은 죄는 달게 받고 새사람이 될 가능성이 말이다. 우리는 스스로의 시야를 맹신하지 않을 필요가 있다. 잘못된 편견으로 누군가의 앞길을 막아설 수는 없다. 우리가 모르는 새 누군가의 혹은 나의 앞길을 막아서는 일은 얼마나 많았을까.

누군가의 이면을 믿거나 섣부른 편견을 부숴 본 이들은 알 것이다. 사람은 결코 혼자 살 수 없다는 진리 말이다. 서로에게 힘이 되고 믿어주는 것만큼 나를 나아가게 하는 건 없다. 나를 부수고 더 나은 쪽으로 가게 하는 건 누군가 있어야 가능한 일이었다. 사람은 본래 완벽과는 멀리 있는 것 같다. 오차 없는 인생, 편하기만 한 인생은 드물잖은가. 마음을 달리 먹어야 한다. 먼저 건넨 인내나 아량이 우리의 실수를 만회할 기회로 돌아온다고, 설령 돌아오지 않는대도 그 선택이 우리를 떳떳하게 만들어 준다는 걸 알아야 한다.

자, 이제 우리는 어떤 선택을 할 수 있을까. 한 번의 귀띔에 휘둘려 여전히 속단할까, 혹은 믿어 보려는 용기로 확신하지 않을 수 있을까. 일 인분의 선의가 열 명을, 열 명의 선의가 백 명을 바꿀 거라 믿는다. 시작이 누가 될 것인지는 그리 중요치 않다. 그저 누구 한 명쯤 달리 보길 바랄 뿐이다. 그게 큰 변화의 시작임은 분명한 사실이라고 믿어 의심치 않는다.

인구 1

55년생 양띠 인구는 올해로 70살이 됐다. 나는 인구를 2018년 여름에 처음 만났다. 나는 25살, 인구는 64살이 되던 해였다. 이제 인구를 이모부라고 지칭하겠다. 인구는 나의 진짜 이모부도 아니고, 먼 친척뻘도 못 되는 남남이지만 확실히 이모부였다. 그는 미미의 이모부였고 내게도 진짜 이모부 같은 사람이었다.

이모부는 나이가 무색한 사람이었다. 70살이 된 인구는 거짓말 조금 보태 50대처럼 보였다. 그가 일흔 된 노파라 하면 아무도 믿는 사람이 없었다. 또, 60대 중반을 넘기면 은퇴를 하는 게 보편적인 사람이라면 이모부는 아니었다. 64살의 이모부도, 70살의 이모부도 일을 했다. 이모부는 평생 일만 한 사람이었다. 젊어서는 직장을 다니다가, 동네에 하나씩 있는 큰 마트를 했다가, 언제부터는 벽지를 바르고 장판을 깔고 집을 고치는 일을 했다. 어깨 가득 힘을 실어도 끙끙거릴만한 타일을 수 백 장씩 나르고, 어른 키보다 큰 장판을 척척 옮겼다. 한 번 하고 나면 온몸이 축 처질만한 크고 무거운 일들을 이모부는 매일 해냈고, 그런 걸 매일 하는 사람이 힘든 내색 한 번 안 하는 게 더 대단한 사람이었다. 결과도 대단했다. 여느 업계든 입소문이 나야 회전하기 마련이라면 이모부는 수십 년째 일이 마르지 않았으니까. 이모부가 일을 잘하는 사람이라는 건 분명한 사실이었다. 무엇이든 제대로 하고, 완벽해야만 성에 차는 사람이 있다. 그런 사람이 부지런하기까지 하다면. 자기 밥 굶을 걱정은 고사하고 다른 사람 그릇도 가득 채워 줄만 한 사람이 이모부였다.

　나는 이모부를 보면 그릇 개수가 떠올랐다. 사람마다 그릇 크기가 타고난 거라면 이모부는 크기는 고사하고 개수가 많아 보였다. 어떤 인생은 큰 대접처럼 태어나 자기 먹을 쌀밥을 덜어주거나, 누가 훔쳐 가지는 않을까 걱정한다면 이모부는 대접부터 종지 그릇까지 다양하게 갖고 태어난 것 같았다. 수많은 그릇 중 누구 하나 그냥 주는 것도, 그릇이 깨지는 것도, 제 그릇에 곡식을 담아 남 주는 것도 다 자연스러웠다. 일감을 주변 사람께 나눠주거나, 누군가의 실수로 돈이 나가거나, 마음 쓰이는 사람을 불러 조용히 식사를 내어주는 게 아무렇지도 않았다. 누군가는 이모부 밑에서 대가 없이 일을 배웠고, 누군가는 이모부의 선의를 나 몰라라 도망쳤고, 누군가는 평생 호형호제하며 일을 받아 갔다. 그들은 모두 이모부의 그릇을 나눠 받은 사람들이었다. 어렸을 때부터 가족과 떨어져 혼자 살아 온 나도 이모부의 그릇을 받아본 사람이긴 마찬가지였다. 명절만 되면 용돈을 주신다던가, 힘든 일이 생기면 해결해주신다던가, 쑥스러운 마음에 주변 사람을 시켜 안부 전화를 주신다던가했다. 이모부의 모든 걸음에는 단 한 줄의 요구사항도 없었다.

어떤 얘기는 지극히 예의 바르고 따뜻해서 별 감흥 없이 지나치게 된다. 콩쥐팥쥐나 흥부전의 결말이 권선징악인 게 당연한 것처럼. 그러나 이 뻔하고 밋밋한 소설은 권선징악에 초점을 둘 게 아니다. 질서와 균형이 깨진 상황 속에서도 바른 사람으로 사는 게 얼마나 어려운지 봐야 한다. 살아 보겠다고 깨진 독에 물을 붓는 콩쥐나 밥풀이 말라붙은 주걱으로 뺨을 후려 맞는 흥부나 바보 같고 멍청해서 그러고 있는 게 아니란 말이다. 그냥 살아 보겠다고, 어떻게든 살아남겠다고, 그러면서도 당신과는 달리 나쁜 짓은 서슴지 않겠다는 얘기다.

이모부는 그런 사람이었다. 가진 게 많아 나눠주는 게 아니라, 어떻게든 살아 보겠다고 발버둥 친 세월이 있어서 남의 위태로움을 나 몰라라 못하는 사람 말이다. 당신이 콩쥐고, 당신이 흥부인 세월을 잊지 못해서 애먼 곳의 콩쥐도 흥부도 지나치지 못하는 그런.

인구 2

55년생 이모부가 사는 시대는 돈이 없고, 힘이 없는 사람은 지금보다 더 쉽게 당했던 것 같다. 이모부는 어렸을 적부터 글쓰기에 소질이 있었다는데 교내 백일장이랄지, 숙제랄지 하는 일에 시를 써가면 어디서 훔쳐 온 글이 분명하다며 흠씬 두들겨 맞았다고. 너처럼 가난한 집 애가 이런 걸 쓸 리 없다는 이유였다. 내가 아는 이모부의 서사는 여기서 시작된다. 글을 잘 쓰고 글씨를 바르게 써도, 지금의 대형 신문사 시 공모에 당선이 돼도 가난을 저당 잡아 이모부를 나무라는 어른이 많았다는 얘기. 가난한 집에서 태어난 그 시대 아들들이 그렇듯 먹고 살아가는 데만 몰두할 수밖에 없어서 더 배우고 싶어도 그러지 못하고, 내 입에 넣을 것보다 가족을 앞세워야 하는 게 이모부의 삶이었다.

부지런한 완벽주의자답게 한 번 자리 잡은 직장에서는 놓칠 수

미미에게

없는 인재가 된 것도, 동네에 하나씩 있는 큰 슈퍼를 할 때는 식구며 친척이며 먹여 살리는 것도, 내년이면 일흔이 된 나이에 벽지에 풀을 바르는 것도 이모부는 다 남을 위해서였다. 가족뿐이랴. 이모부 업종 특성상 딸린 인부가 많았고 그들의 가정도 돌보곤 했다. 옆집 철물점 아저씨는 불을 끄고 살다시피 했는데 어두운 집은 들어올 재수도 나간다며 불을 켜주러 가질 않나, 건너편 샷시집 사장님은 매일같이 밥을 얻어먹으러 왔다. 샷시집 사장님이 크고 작은 일감을 밥값 대신 갖고 오는 건 뿌듯한 구경거리였다. 동네는 이모부를 중심으로 회전하고 있었다.

이모부처럼 사는 건 자기 자신만 생각해서는 불가능한 일이었다. 나만 잘 살면 되는 사람은 자기의 행복이 먼저기 때문에 자기의 욕구를 채우는 쪽으로 하루를 다 쓰기 때문이다. 사람은 누군가를 위해 얼마나 희생할 수 있을까. 몸과 정신을 일흔이라는 긴 시간 동안 바치는 사람은 얼마나 큰 사람일까. 확실한 건 희생은 그 무게를 잴 수 있는 저울이 있다는 거다. 우리 중 누가 이모부에게 도움을 받았냐고 묻는다면 손들지 않을 사람이 없다는 것부터 그렇다.

미미가 신을 받기 전으로 거슬러 가면 거기도 이모부의 희생이 있다. 으레 누군가 신을 받아야 할 집이 그렇듯 미미의 집도 크고 긴 풍파를 겪었는데 당시 미미의 식구를 부산으로 데려온 것도 이모부였다. 신병이란 건 모양이 제각각이라 누군가는 몸이 아프고, 누군가는 정신이, 누군가는 재물을 몽땅 잃어버리곤 하는데 미미의 집은 그게 다 있었다. 온갖 악재가 겹치기 시작하면 어디부터 손 써야 할지 모르게 된다. 땅에 발을 붙이고 있어도 몸이 떠 있는 것 같은 황망한 상태 말이다. 당신 옆에서 새로 시작하라며 발 디딜 곳을 마련해준 것도 이모부다.

부산으로 이사 온 미미가 무당이 될 때까지 믿고 따라준 것도 빠질 수 없다. 가족이 병명 없이 아플 때, 그게 신이 와 아픈 거라고 눈에 보이지도 않는 이유를 말한다면 누구나 선뜻 이해하기 어려울 걸 안다. 아무리 가족이라도, 평생 얼굴을 맞대고 살았어도, 말도 안 되는 일이라며 다그치거나 들은 척도 안 할만한 일이니까. 그러나 이모부는 앞줄에 서서 문제를 해결했다. 미미를 믿고 따르고, 자립할 수 있게 도왔다. 나는 이모부가 늙어 돌아가실 때까지 괜찮을 것 같다는 느낌이 생생하다. 지금껏 남을 돕고 산 세월은 이모부의 남은 생을 아늑하게만 할 거라고 확신할 수 있다.

나는 내가 사는 세계를 강요할 수 없다는 사회적 섭리를 기억한다. 그러나 신이란 건 정말 있을지도 모른다. 인구처럼 돕고 베푸는데 걸림 없는 사람 하나쯤 둠으로써 험한 세상 균형을 맞추는 걸지도 모른다고 말이다. 그는 오늘도 집을 나선다. 가족을 지키러, 피가 섞이지 않아도 가족이 된 사람을 살피러. 그는 좋은 꿈을 꾸며

늙어갈 것이다. 그의 선의를 기억하는 사람들 곁에서 내내 존경받을 것이다. 신이 보고 있다면 한쪽으로 추가 기운 거룩한 희생에게 응당한 보상을 주고 싶을 것이다. 오랜 시간 기억될 많은 이의 가장, 강인구. 나는 그를 그렇게 남기고 싶다.

무속인이 알려주는 진짜 무속 이야기 1

이 제목으로는 결코 글을 적고 싶지 않았습니다. 너무 뻔뻔해 보일까 봐요. 내가 무속인을 대표하는 것도 아닌데 진짜 무속 이야기랍시고 웅장하게 나서는 것 같고, 괜스레 몸이 근질거리는 게 영. 그래도 한 번쯤은 적겠지-두루뭉술하게 생각만 했는데요. 그게 지금일 줄은 몰랐습니다.

저는 신을 모시면서 사주를 보는 사람입니다. 신을 모신다면 신점을 보는 게 아니냐 생각하실 텐데요. 네 맞습니다. 제가 보는 점은 신점이면서 사주, 역학점이기도 합니다. 무속인은 어떤 신을 모시느냐에 따라 점을 보는 방식이 달라지거든요. 얼굴, 관상만 보는 신점, 사주를 보는 신점, 동전점, 쌀점, 어떤 신이 점을 치냐에 따라 방식이 제각각입니다. 저는 현재 글로 점을 푸는 글문 대신 할아버지를 모시고 있고, 바로 이 할아버지가 사주/역학으로 점을 풀어주십니다. 신이 푸는 사주니 신점이기도, 사주점이기도 한 셈이지요.

저는 25살에 신을 받았습니다. 제 나이가 올해 31살이니 벌써 6년 차 무속인입니다. 남들은 한창 청춘일 나이에 신을 받았고, 속세와는 거리를 둔 채 이 길을 가고 있습니다. 보통 제자들은 당신을 이끌어주는 선생들 밑에서 이 길을 배워갑니다. 신 엄마, 신 아빠, 신 선생으로 불리는 게 그들이지요. 지금껏 적었던 글은 제 신 선생님을 생각하며 적은 글들입니다. 6년간 선생님 밑에서 보고, 듣고, 배운 것들을 적었습니다. 무속인이 적는 글이지만 무속 얘기가 드물고, 세상 이치를 떠드느라 제법 고리타분했을 텐데요. 지금만큼은 독자분들이 궁금하셨을 만한 얘기만 해보려고 합니다.

제 신 선생님을 예시로 들겠습니다. 제 신 선생님의 본명은 박설하인데요. 이 글에서도 마찬가지 미미라고 부르겠습니다.

보통 무속인은 하나의 신만 모시지 않습니다. 무속인에게 오는 신은 다양하고, 저마다 달라 법당마다 구성이 다릅니다. 미미가 모시는 여러 신 중 대표 격은 천상 대신 할머니입니다. 보통 미미 법당에 점을 보러 가면 이분이 미미 몸에 실려 점을 봐주시는 형국입니다. 그분은 누군가의 사주가 없어도, 사람을 보거나 얘기를 나누는 것만으로도 점을 치는 게 가능하셔요. 여러분이 알고 계시는 바로 그 신점과 같습니다. 미미는 점을 보고, 손님들을 빌어주고, 굿을 하고, 천황을 잡고, 무속인이 지니는 표본적인 일들을 해냅니다. 여기서 천황이란 굿에서 신 또는 귀신을 몸에 싣고 가락을 타거나 설법을 내리는 행위를 뜻합니다. 미디어에서 많이들 보셨죠. 굿판에서 화려한 한복을 입고 무대를 누비는 바로 그 일입니다.

저는 사뭇 다릅니다. 점을 보거나 손님을 빌어주는 일은 가능하나 천황을 잡지는 못합니다. 왜일까요. 바로 같은 무속인이라도 가능한 영역이 다르기 때문입니다. 천황은 천황을 잡는 신이 있어야만 가능하거든요. 감이 조금 오실까요. 저희는 무속인이라는 타이틀로 한 데 묶이지만, 각자의 모습은 천차만별입니다. 사람의 성격과 행색이 제각각이듯, 신도 마찬가지예요. 성격, 도술, 행색, 영역, 전부 다 다르답니다. 점집마다 하는 얘기가 다르고, 나와 잘 맞는 점집이 따로 있는 것도 바로 이 때문이에요. 사람도 성격 맞는 사람, 아닌 사람 있듯 신도 마찬가지인 거죠. 직설적으로 퍼붓는 점이 좋은 사람, 마음을 위로하는 점이 좋은 사람, 상담 시간은 짧아도 정확한 한 마디가 좋은 사람, 웅장한 굿판이 좋은 사람이 다 달라 점집은 어디가 더 낫고 아니고를 떠나 나와 맞는 곳에 가는 게 옳습니다.

제가 무업을 하면서도 글을 쓰고, 사람들에게 보여줄 수 있는 것도 제가 모시는 글문 대신 할아버지의 역량입니다. 할아버지가 글로 점을 푸시듯 온전히 글을 쓰는 행위도 도우시거든요. 오늘은 이런 걸 쓰자, 내일은 이런 걸 쓰자는 식으로 말도 해주십니다. 저는 세상에 보탬이 되는 글을 쓰고 싶습니다. 종교를 떠나 누구나 도움이 될만한 글을요. 올바른 종교가 세상을 이롭게 하는 데 목적이 있다면 어떤 것이든 환영합니다. 저는 제가 사는 세계를 강요할 수 없습니다. 모든 종교가 그렇듯 믿음의 영역이고, 그 믿음은 오롯이 각자의 몫이니까요. 그저 이런 세계도 있었다고 편히 읽어주시면 감사하겠습니다.

무속인이 알려주는 진짜 무속 이야기 2

무속인마다 점을 치는 방식이 다르다고 말씀드렸죠. 같은 질문이라도 무속인마다 하는 답변이 다를 수 있다는 얘기도요. 이쯤에서 일반인들은 이런 생각도 할 수 있을 것 같아요. 신을 모신다는데 어떻게 점이 틀릴 수가 있냐, 하는 얘기가 다 다를 수 있냐-고요. 바로 무속인마다 보이는 영역이 다르기 때문이에요. 제자가 신을 모셨고, 그 신의 역량이 대단하다고 해도 제자가 제대로 수행하지 않으면, 닦아 가지 않으면 신은 다 보여주지 않아요.

아는 만큼 보인다는 말 아시죠. 배움의 중요성을 강조한 그 말이 여기도 적용되는 셈이에요. 제자에게 배움이란 기도예요. 속세에 젖지 않고, 인간사 사사로운 감정에 휘둘리지 않으며, 오로지 신을 모시는 일에만 전념하는 행위 일체를 기도라고 할 수 있을 것 같아요. 기도란 게 손을 모으고 무언가를 빈다는 것도 되지만, 제자로서 몸가짐을 바르게 하고 정갈히 하는 행위 자체를 뜻하기도 하거든요. 결백한 기도나 수행을 어떻게 해냈는가, 견뎌냈는가가 무속인의 점사 실력에 영향을 미친다면, 갓 신을 받은 애동 제자라 해서 점을 가장 잘 보는 게 아니라는 것도 말씀드릴 수 있겠네요. 물론 애동 제자의 점사 실력도 무시할 수 없지만, 제대로 수행하고 닦아온 무속인의 실력 역시 대단하다고 생각하시면 될 것 같아요. 무속인도 사람입니다. 신이라는 울타리 안에 있어도, 얼마나 노력했는지에 따라 다른 인생을 살아요. 여러분이 사는 그 세계처럼요.

미미는 올해로 32살이 되었어요. 저와 미미는 제자와 스승 사이지만, 나이는 고작 한 살 터울이에요. 그러나 미미가 너무 어린 나이에 신을 받았기 때문에 제자의 세월로 치면 한참 선배가 맞는 거죠. 미미는 기도를 많이 한 제자예요. 108배를 하루 세 번, 정해진 시간에 하는 기도를 100일씩 하고, 기도 기간에는 쌀과 조선간장밖에 먹지 못했어요. 그런 기도를 매해 거르지 않고 지금껏 했으니 신께 올린 절만 해도 몇만 번이고요. 제가 미미를 생각하며 글을 쓴 것도 미미가 견뎌 온 시간과 그 시간이 증명하는 깨달음들을 사람들도 함께 알길 바라서예요. 좋게 봐주시는 분들께 감사하다고 꼭 말씀드리고 싶었어요.

어떤 분이 질문을 주셨는데요. 손님이 법당에 들어서자마자 어떤지 다 보이느냐-고 말씀을 하셨는데, 네, 보통 그런 편입니다. 다만 제자마다 점을 보는 방식이 다 다르듯 손님이 어떻게 읽히는지도 제자마다 달라요. 음성으로 귀에 들릴 수도, 필름 감기듯 머릿속에 스쳐 지나갈 수도, 중간 과정은 생략하고 신이 제자 몸에 실려 제자 입을 통해 바로 말씀해 주실 수도 있어요. 또, 어떤 손님이냐에 따라 법당에 발을 들이자마자 보일 수도, 마주 앉자마자 보일 수도 있고요. 몇 년 전 일인데요. 하루는 손님과 마주 앉았는데 흉부 아래가 너무 아프고, 나이 지긋한 분이 병원복을 입는 게 머릿속에 보여 다른 말씀은 안 드리고 부모님 모시고 건강검진을 받으시라 설법을 드렸는데, 얼마 뒤에 아버지 간에서 암이 발견됐다고, 미리 발견해서 너무 다행이라고 감사 연락을 받은 적 있었어요. 이렇듯 상황을 몸으로 느낄 때도 있답니다.

저는 어려서부터 물리학을 참 좋아했어요. 경영학을 전공했지만 기회가 된다면 자연계로 대학을 다시 가고 싶을 만큼요. 물리학이 '존재하는' 물체의 성질이나 운동 원리에 집중하는 만큼 이런 제가 신을 믿고, 제자가 된 걸 다들 신기해했어요. 저는 꼭 보이는 것만 믿는 사람처럼 기억됐거든요. 그러나 이제는 알아요. 세상은 설명할 수 있는 것들만 존재하지는 않는다는 걸요. 우리 주변에서 일어나는 운동들은 꼭 과학적이지만은 않잖아요. 심지어 우리자신도 우연과 운에 기대고, 종교가 없어도 바라는 바를 중얼거려 보고요. 세상이 무엇인지는 결코 정답이 없는 것 같아요. 다만, 각자의 세상을 개척해 가는 거죠. 스스로가 옳다고 생각하는 쪽으로

요. 눈에 보이지 않으므로 신이든 귀신이든 없다-하는 것, 말로 다 할 수 없지만 있다-하는 것, 모두 틀린 얘기가 아니라는 거예요. 각자가 사는 세상이 다를 뿐이에요.

무속인이 알려주는 진짜 무속 이야기 3

무속인들은 신병이라는 서사를 지닙니다. 내용은 제각각이에요. 몸이 아프거나, 정신이 아프거나, 재산을 탕진하거나, 가족이 질병이나 고초를 겪어요. 신병은 무슨 수로도 해결이 안 된다는 공통점을 지녀요. 병원에 가도 낫질 않고, 돈을 벌면 금세 잃고, 우후죽순으로 일이 꼬여 폐허가 됩니다. 누구에게나 그런 일이 일어날 수 있지 않냐고 생각할 수 있지만 아무리 발버둥 쳐도 숨만 겨우 쉬는 상태가 수년씩 이어진다면 그건 좀 이상하거든요. 저는 신병을 겪을 때, 누구에게도 당시의 기분과 상태를 이해받지 못하는 게 가장 끔찍했어요. 나는 분명 살아 있고, 움직이고, 사회에 속해있는데 스스로가 실재하지 않는 사람처럼 느껴졌거든요. 이 기분을 무어라 말할 수 있겠어요. 저는 12살부터 아팠어요. 어린아이가 할 수 있는 말 가운데 제 상태를 설명하는 말은 없었어요. 이상해요, 심장이 아파요, 학교에 못 가겠어요, 그런 말들뿐인 거죠.

미미에게

사실 심장은 정말 아팠어요. 제가 아는 사람 중 하나가 심장에는 통점이 없어서 고통이 없다고, 주변 근육이 아픈 거 같다더라고요. 병원에 가도 이상이 없었고요. 하루 한두 번은 가슴께를 쥐고 바닥을 뒹굴면서 울었는데 아무도 문제가 없대요. 와, 이건 진짜 답이 없는 거죠. 아버지께 심장이 아프단 얘길 초등학교 때 처음 해봤어요. 다니는 병원마다 이상이 없다니까 무식하게 버티는 수밖에요. 참 신기한 게, 십여 년을 그렇게 살다가 신을 받는 날부터 안 아프더라고요. 그래서 신을 믿을 수밖에 없었어요. 안 다녀본 병원이 없고, 너무 오랫동안 항 정신성 약물을 먹어야 했고, 어느 날은 몸이 무언가에 닿는 게 아파서 앉지도 서지도 눕지도 못했어요. 몸이 무언가에 닿는 게 아프다뇨. 아무런 병적 진단이 없는 사람이 그렇게 말한다고 생각해보세요. 미쳤다는 말밖에 더 하겠어요. 아무도 제 말을 믿어주지 않으니 매일같이 부모에게 역정을 내고, 사람들과 싸웠어요. 왜 믿지 않느냐고, 왜 내 말을 들어주지 않느냐고요. 근데 모든 게 신을 받으니까 어딘가로 사라지더라고요.

신을 믿을 수밖에 없는 이유가 또 있는데요. 저는 신병을 앓는 내내 오직 글만큼은 포기가 안 됐어요. 그래서 겨우 살아 있을 만큼요. 매일이 전쟁이 끝난 직후나 다를 바 없는데 글만 생각하면 좋았어요. 한 번 앉으면 이틀, 삼일 밤을 새워 글을 쓸 때도 있었는데 지금 생각해 보면 제게 온 주장신이 글문 대신 할아버지라서 그런 것 같아요. 점을 글로 풀고, 지금도 글을 쓰고 있으니까요.

신이라면 사람을 아프게 하면 안 되는 거 아니냐고, 너무 억울하다고 생각한 적 있어요. 근데 제자가 되어보니 알겠더라고요. 법당에 손님이 오고, 그들의 얘기를 들어보니 제 경험이 다 재산이 되어있었어요. 사람과 사랑에 다친 손님, 가족이 아픈 손님, 큰 병을 이겨낸 손님, 사는 게 팍팍한 손님, 저는 제게 온 손님의 삶을 한 번씩 살아봤더라고요. 겪어보지 못했더라면 그들에게 아무런 조언도 해줄 수 없었을 거예요. 언젠가 제자가 되고, 누군가의 가장 아픈 부분을 마주하며 살아가야 한다면 신병만 한 공부도 없었던 거죠. 가장 중요한 건, 제자들 팔자는 신을 받지 않으면 명이 짧아요. 재난을 주고 제자를 시켜서라도 살리고 싶은 게 신의 마음이라고, 그런 차원이라면 저는 꽤 쓸만한 사람이라고 생각하게 됐어요.

저는 그렇게 아플 때도 어디서 점 한 번 본 적이 없어요. 무당을 찾아가 병명 없는 증세에 대해 말해 본 적도, 흔한 신년운세 한 번 본 적 없어요. 너무 큰 고통을 오래 겪어서 아무도 나를 고치지 못할 거라는 고집이 있었거든요. 미미와는 인연이 되려고 그랬는지 우연히 만났는데 어디서 점 한 번 본 적 없는 제가 미미를 보자마자 한 첫마디가 선생님이었어요. 고집이 세고 화병이 도져 누구와도 원만한 대화가 안 되었는데도요.

미미가 그러더라고요. 신을 받으면 과거의 제 모습과 퍽 닮은 사람들이 손님으로 올 거라고요. 정말 그랬어요. 우울증으로 집 밖을 나서지 못하는 사람, 자기만의 방에 영영 갇힌 듯한 사람, 말이 되지 못한 슬픔을 안고 숨죽여 우는 사람, 저는 그 사람들에게 제 경험을 발판 삼아 조언할 수 있었어요. 그들과 얘기하면서 저 역시 이겨낸 사람임을 증명했고요. 그때 사람을 다독이며 살아야겠다고 결심했어요. 누군가에게 도움이 되는 사람이란 느낌은 이로 못다 할 눈부심이었거든요.

죽을 때까지 신을 모시고 제자의 삶을 살아갑니다. 제 나이 25살에 신을 받았으니 인생의 3/4은 제자로서의 삶일 텐데요. 그래도 괜찮습니다. 수천억을 줘도 아플 때로는 돌아가지 못해요. 새로운 삶에서 만난 새로운 인연들이 참 고맙고요. 6년이라는 시간 동안 저는 참 많은 걸 배웠어요. 미디어나 인터넷에 사사로이 보이는 무속인에 관한 괴담과는 달리, 제대로 된 제자는 사람을 사랑해요. 완전하지 못하고, 감정에 휘둘리고, 번번이 실수하며 사람은 성장하고, 그런 성장이 너무 근사해서 사랑할 수밖에요. 인생은 저마다 고통과 재난을 지니는데 보란 듯 이겨내는 사람들을 보세요. 자기 자신을 깨고 나아가는 사람의 모습은 흡사 신과 비슷합니다. 온전해지려고 하니까요. 삼라만상의 이치가 모두 자신에게 있다는 맹자의 말처럼 스스로를 마주하고 모서리를 깎을 줄 안다면 여러분은 어떤 신의 말씀에도 개의치 않고 원하는 곳에 도달할 수 있을 거예요.

신은 그런 게 아닐까요. 금은보화를 주겠다던가, 부자로 만들어 주겠다던가-같이 남 부럽지 않은 삶을 보장해주는 게 아니라 스스로의 땀과 인내로 온전해지도록 이끄는 존재요. 여러분이 원하는 곳이 어디든 부끄럽지 않게 닿기를 바랍니다. 저는 한 보 물러난 곳에서 여러분의 거룩한 발걸음을 응원하겠습니다. 더 나은 세상에서, 더 나은 모습으로 만나고 싶습니다. 앞으로도 쭉 그런 마음일 겁니다. 감사합니다.

미미에게

말 한마디로 천 냥 빚을 갚는다

미미는 말수가 적다. 몇 시간씩 말 않고 자수를 놓고, 티비를 보고, 밥을 먹는다. 겨우 말 한마디 꺼낼 땐 그마저도 내일 보자는 인사. 미미는 누구를 만나든 듣는 쪽에 있고, 한마디 말할 때도 신중에 신중을 보탠다. 그러나 점을 칠 땐 모든 사실을 가감 없이 말한다. 평소 모습과 일하는 모습의 격차가 큰 사람이라 할 수 있겠다. 나는 그 모습을 보면 어떤 영화 구절이 생각난다.

영화 <Arrival>에 나오는 말이다.

"언어는 문명의 초석이자 사람을 묶어주는 끈이며, 모든 분쟁의 첫 무기다."

우리 일상의 필수 요소인 언어의 힘은 월등하며, 때로 분쟁 무기가 될 만큼 위협적임을 시사하는 이 대사는 미미의 행실과 닮았다. 미미는 언어(혹은 말)가 얼마나 자주 잘못 사용되고, 오해를 일으키는지 잘 알고 있다. 이를테면 사용 언어가 다른 사람 간에서, 말투에 따라서, 단어의 질감에 따라서, 갖가지 이유로 언어는 늘 오해 소지가 있다는 걸 잘 아는데, 그러한 사실은 유독 신 제자에게 치명적 실수가 될 수 있다고 생각한다. 제자란 어느 상황에서든 말로 오해를 일으켜선 안 되기 때문이다. 평소에도, 일할 때도 마찬가지다.

사람들은 제자가 궁금하다. 평소 무엇을 보고 듣는지, 가만있을 때도 신, 귀신같은 게 눈앞에 움직이는지 묻고 싶다. 그렇다면 제자 입에서 나오는 일상 얘기도 대충 소비되지 않을 가능성이 있다. 누군가 제자를 잘못 상상하지 않도록 말을 조심해야 한단 얘기다. 일할 때는 더하다. 점은 한 사람의 마음과 미래를 보는 일이고, 제자의 말과 행실은 다른 사람 마음을 울릴 수도, 붙잡을 수도, 미래를 달리 살게 할 수도 있다. 적확한 정보와 사실을 정확한 말로 전달해야만 한다. 미미는 이 사실을 잊지 않는다. 본성처럼 자연스럽게 행동에 드러난다. 무작정 말을 아낀다는 게 아니다. 미미는 적재적소에 말을 잘 쓰는 언어 귀재쯤 된다.

점을 볼 때, 잘못된 선택으로 미래가 뒤틀릴 것 같은 사람에게 미미는 말이 많아진다. 가용 범위에 있는 단어를 총동원해 선택을 만류한다. 말수 적은 미미가 변신하는 순간이다. 잘못된 선택에서 벌어질 수 있는 모든 경우의 수를 쉬지 않고 말해줄 때, 나는 말이 미미와 손님을 묶어주는 끈처럼 보인다. 손님은 미미가 빚은 말을 안고 집으로 갈 것이다. 미미가 신중한 자세로 설계한 말들이다. 진실, 잘 살길 바라는 진심, 기대나 바람을 넣어 만든 말 꾸러미다.

또 미미는 말이 닿기 어려울 때 말을 아낀다. 다 보이고, 다 들려도 상대가 당장 믿기 힘든 말을 해야 할 때, 혹은 믿지 않으려고 할 때 말하지 않는다. 그런 사람에게 많은 말을 하면 자칫 분쟁의 씨앗이 될 수 있기 때문이다. 그땐 먼 훗날 다시 생각나고, 뒤늦게라도 깨우칠 수 있는 말들로 대신한다. 당장은 내 말 안 듣겠지만 먼 훗날 내 생각이 나면 그땐 후회 없는 선택을 하라는 정도로 말을 마친다. 인생이 돌고 도는 만큼 그 사람에게는 미미 말이 떠오를 순간이 반드시 돌아올 것이다.

'언어란 문명의 초석이자 모든 분쟁의 첫 무기'가 될 수도 있다는 영화 Arrival의 대사는 언어가 중요하고 위협적인 대상임과 동시에 누구든 언어를 신중히 대하라고 말하는 듯하다. 미미도 비슷한 맥락을 꾸준히 강조한다. 모든 말은 생각을 앞지르면 안 된다고 말한다. 생각을 앞지른 성급한 말은 본심과 다를 수도, 상황에 맞지 않을 수도, 누군가에게 상처될 수도 있어서라고 말이다. 모든 사람은 누군가를 위해 말을 신중히 할 필요가 있다. 제자는 누군가의 인생에 개입되는 말을 해서 신중하다지만, 사실 모든 사람의 말은 누군가의 인생에 개입할 수 있다는 걸 생각해야 한다.

당겨진 화살, 입 떠난 말은 돌아올 수 없음을 기억해야 한다. 정확한 말로 나도, 상대방도, 누구도 다치지 않게 고민해 볼 차례다. 어려운 작업이 될 것이다. 살면서 말이 분쟁의 시작점이 되던 걸 자주 봤다. 깎이지 않은 말은 칼이 되어 가슴을 후볐고, 말이 되지 못한 진심은 미련으로 남아 훗날을 괴롭혔다. 말의 무게를 알았다면, 더 신중했다면 그런 일은 없었을 것이다. 나 역시 내 말이 누군가에게 돌부리 되지 않길 온몸으로 노력할 것이다. 미미가 그렇듯 말이다. 우리는 언어(혹은 말)라는 유구한 산물을 내 것인 듯 쓰고 있다. 그러나 기억해야 한다. 그것은 누구의 것도 아니다. 누구의 것도 아니라서 언어로 누군가를 아프게 할 권리도 없는 것이다.

물장사도 체질, 골병도 체질

우영은 친구 중 가장 나이가 많았다. 우영은 생일이 빨라 음력으로는 서른네 살, 양력으로는 서른세 살이 됐다. 그는 카페를 했다. 이십 대에는 큰 시가지에서, 삼십 대에는 동네에서 했다. 우영은 장사 수완이 좋았다. 광안리 바다 어느 뒷골목에 카페가 하나도 없던 시절에 처음 카페를 한 게 우영이었다. 우영의 가게가 잘 되자 하나둘 카페가 들어섰고, 그곳은 카페 거리처럼 됐다. 우영이 카페 거리를 만든 건 아니지만 우영으로부터 시작된 건 확실했다. 나는 우영을 칠 년 전에 처음 봤다. 나는 스물네 살, 우영은 스물여섯이던가 일곱 된 해, 우영이 광안리에서 장사를 하던 그때다. 첫 만남에 나도 우영도 서로를 이상하게 생각했다. 지금까지도 이상하게 생각한다.

우영은 여자다. 나도 우영도 남자 이름처럼 들리지만 둘 다 여자다. 우영은 한자로 벗 우에 영화로울 영을 썼는데 이름처럼 벗이 많았다. 모르는 사람이 없었다. 제 또래부터 동네 어르신까지 친구였다. 그 시절 우영의 광안리 가게는 가기만 하면 다 우영과 친구가 됐다. 장사가 될 수밖에 없었다. 그러나 우영은 보이는 게 다는 아니었다. 누구나와 친구지만 누구에게도 속 사정을 말하지 않았다. 우영에게는 선이 있었다. 그래서 우영은 친구는 많아도 외로운 사람이었다. 광안리 뒷골목이 부흥하자 우영은 그곳을 떠났다. 종적을 감췄다. 몇 년간 외국을 돌았다. 집도 절도 없이 온 나라를 돌아다녔다. 한 번씩 영상통화가 왔고, 화면 속 우영은 외국 히피 같았다. 희귀한 문양이 그려진 옷을 입고 양 갈래로 땋은 머리를 하고 있었다. 새까맣게 탄 피부는 우영의 이를 더 희게 보이게 했다. 언제 돌아올 거냐 물으면 잘 모르겠다고 했다. 그 길로 서른이 넘을 때까지 우영은 외국에 있었다.

서른이 넘은 우영은 한국에 돌아왔다. 집도 절도 없는 우영은 미미의 집에 살게 됐다. 마침 미미가 이사를 떠날 때였기 때문이다. 우영은 미미가 떠난 집으로 들어갔다. 미미가 살던 집은 재수가 있었다. 미미는 자신도 이 집에서 잘 돼서 나간다고, 너 역시 잘 될 거랬다. 정말 그랬다. 우영은 그 집 바로 앞에 카페를 차렸다. 장사가 잘됐다. 우영의 수완이 좋은 건 사실이지만 우리 모두 알고 있었다. 장사나 사업이라는 게 능력만 좋아서 되는 게 아니라는 걸. 사람을 모으고 돈을 부르는 건 운이 따라야만 된다는 걸 말이다. 우영은 여전히 누구나와 친구가 되고, 한 번 온 손님은 단골로 만드는 재주가 있지만 이십 대와는 조금 달라진 모습이다. 우영은 이제 속 사정을 말한다.

우영은 평생 외로웠다. 친구가 많고, 늘 생기 있고 밝은 게 다는 아니라서. 아무도 모르는 속마음을 보여줄 수 없어서. 우영은 속마음을 드러내면 안 된다고 생각했다. 우영은 약점이 생기는 걸 싫어했기 때문이다. 누구에게도 속마음을 말하지 못해서 우영은 외국으로 떠났던 것이다. 참다 참다 터져서 말이다. 우영은 잘 웃고 상냥한 사람처럼 보이지만 흠이라곤 잡히지 않는 독한 데가 있었고 나는 우영을 이중적이고 이상한 사람이라고 생각했다. 반대로 우영은 좋은 건 좋다, 싫은 건 싫다고 말하는 나를 이상하게 생각했다. 요즘은 덜 이상하게 생각한다. 우리도 나이가 들고 모서리가 깎이기 때문이다. 새 피를 갈아 넣듯 본성을 바꿀 수는 없어서 다는 이해하지 못할 것이다.

나는 우영을 영영 미지수로 느낄 것이다. 계산할 수 없을 것이다. 그건 우영에게 나도 마찬가지일 것이다. 그런 사람들이 있다. 언제나 예상 밖에 있는 사람들. 다 알지 못해 궁금하고, 궁금해서 뒤돌아보고, 그래도 몰라서 답답한 사람들. 무엇인지 정의할 수 없는 사람들. 그러나 우영 같은 사람이 있어야 살아갈 맛이 난다. 우영을 다 모르고 죽어버린다고 생각하면 화가 난다. 다 알지 못함에 미련이 남아서 그럴 것이다. 그래서 끝까지 친구로 지낼 것이다. 어쩌면 인연은 모르는 세상을 체험하고, 더 배우라고 찾아온 선물이 아닐지. 맞는 사람에게서는 편안함을, 맞지 않는 사람에게는 다름을 배우라고 말이다. 그러니 귀하지 않은 사람 없다고 말할 수밖에. 우영과는 쭉 다른 사람이고 싶다. 지금껏 그랬듯 부딪히고 다투며 서로를, 나아가 세상을 배우고 싶다.

보따리 친구

지인의 이름은 이지인이다. 지인은 미미의 친구였다. 지인은 작고 까무잡잡했다. 지인은 요즘 말로 MZ처럼 생겼다. 미미와 나, 지인 모두 MZ 세대에 속하지만 오로지 지인만이 MZ 세대처럼 보였다. 모르는 아이돌이 없고 모르는 유행이 없었다. 가장 최근에 나온 옷들을 입었다.

지인은 실력 있는 디자이너다. 회사가 준 일들을 완벽하게 처리했다. 그림을 잘 그렸다. 작가로 데뷔하는 게 어떻겠냐는 말을 자주 들었다. 지인은 서른두 살이다. 이십 대를 바쳐 일만 했다. 한 번도 일을 쉬지 않았다. 무속인인 미미와 나, 카페 사장인 우영, 그리고 지인은 함께 다녔는데 우리 중 유일하게 직장을 다니는 사람이었다. 우리는 한 번도 일을 쉰 적 없는 지인을 가장 대단하게 생각했다.

나는 지인처럼 일하는 사람을 드물게 봤다. 지인은 투정 부리지 않았다. 어느 직장을 가도 관두니 마니 소리를 않았다. 묵묵히 일만 했다. 이직, 퇴직 같은 얘기를 한 번도 하지 않는 또래는 지인이 처음이었다. 대신 지인이 유별나게 하는 게 하나 있다. 이사다. 지인은 이사를 너무 많이 했다. 서울에서 충청도로, 충청도에서 부산으로, 부산에서 서울로 거처를 옮겼다. 지역 곳곳에 지부가 있는 직장을 다닐 땐 지부 이동식으로 회사에서 힘써줬고, 어쩔 수 없이 이직해야 할 때도 능력을 보고 어디서든 데려갔다. 지인은 일도 이사도 쉬지 않았다. 지인에게는 아픈 오빠가 있다. 지인은 아픈 오빠의 요양을 돕기 위해 이사를 했다. 잘 낫는다는 대도시 병원 근처로, 공기 좋다는 시골로, 친척이 있는 곳 근처로 집을 옮겼다. 지인의 오빠는 선원이었다. 아파트만 한 배를 타고 바다에 나가는 사람이었다. 갑자기 병이 생겼다. 지인은 가족을 사랑했다. 골치 아픈 이사를 매번 견딜 수 있었다.

지인은 특이한 사람이다. 지인은 지금껏 유행에 뒤 처지지 않았지만 마음은 노파다. 참고 양보하는 게 몸에 뱄다. 게다가 웃기다. 몇 년 전, 일본어 마스터가 되겠다고 일본으로 워킹 홀리데이를 떠났는데 고작 일한 곳이 엽기 떡볶이 일본 지점이다. 매콤한 고추장 내가 풀풀 풍기는 엽기 떡볶이 주방에서 지인은 한국인들을 상대했다. 결국 지인은 자신을 갈구는 일본인을 상대하려고 일본어를 공부했다. 대부분 험한 말이다. 나는 지인이 워킹 홀리데이를 다녀와 일본어가 늘었는지 알 수 없다. 엽기 떡볶이 레시피는 잘 알고 있다. 당시 지인은 우리 중 누군가에게 무슨 일이 생기면 당장 한국행 비행기를 탔다. 누군가 힘들 때, 옆에 있는 것만으로 큰 힘이 된다는 걸 지인은 안다. 지인은 남에게 당연히 해야 할 것, 하지 말아야 할 것을 본능처럼 아는 사람이었다. 그래서 투정을 부리지 않고, 군말 없이 이사를 하고, 대뜸 한국행 비행기에 오른다.

지인은 일주일 전 서울로 이사를 갔다. 다니던 회사에서 서울 지부로 이동을 힘써줬다. 우리는 지인이 떠나기 전날, 기장 앞바다에서 시간을 보냈다. 어차피 부산으로 돌아오지 않겠냐고, 내일도 안 가는 게 어떻겠냐고 지인을 놀려댔다. 지인은 짐 싸는 게 너무 힘들어 이번만큼은 햇수를 꽉꽉 채울 거라고 말한다. 지인은 놀리면 발끈한다. 참고, 양보하고, 소심한 사람은 가슴께 묵혀진 화가 있다. 그래서 지인은 때때로 눈이 돈다. 그걸 보는 것도 좋다. 조용하던 지인이 대뜸 육두문자를 배설할 때도 그리울 것이다. 우리는 지인이 서울로 가는 게 싫다. 우리 중 가장 먼저 인간이 된 것 같은 지인이 곁을 떠나지 않으면 좋겠다고 생각한다.

우리는 친구다. 미미와 나, 우영과 지인은 무속인과 카페 사장, 일개미 디자이너로 같은 거라곤 없다. 그래서 서로를 모를 것이다. 그게 좋다. 다 모른다는 호기심이 우리를 붙여놓을 것이다. 서로를 기다리게 할 것이다. 친구가 뭐냐 물으신다면, 기다리거나 기다려주는 사람이 아닐지. 우리는 번갈아 그런 사람이 된다. 우리는 부산에서 지인을 기다린다. 우리에게 지인은 기다려야 할 사람, 지인에게 우리는 기다려주는 사람이다. 지인이 돌아올 때까지 묵묵히 기다릴 것이다. 지인은 먼 곳에서 기다리는 사람이 있다는 걸 기억할 것이다. 지인이 그리울 것이다.

박설하

설하는 무당이다. 서른두 살이다. 설하는 이십 대 초반에 무당이 됐다. 생생한 청춘에 속세를 떠났다. 설하에게는 다섯 살 선녀가 한 명 있다. 설하는 사람들 눈에 보이지 않는 선녀에게 별명을 붙여줬다. 그 애 별명은 미미다. 설하는 선녀가 실리면 다섯 살 애처럼 말을 했다. 설하가 다섯 살 애가 될 때마다 사람들은 설하를 미미라고 불렀다.

나는 주로 미미에 관해 글을 쓴다. 오늘은 설하에 관해 쓴다. 설하에게는 무당 설하와 인간 설하가 있다. 무당 설하는 신이 실린 설하, 인간 설하는 그렇지 않은 설다. 무당 설하는 따뜻하고 배려심 넘친다. 소란하다. 인간 설하는 고요하다. 말수가 적다. 무슨 생각 하는지 알 수 없다.

설하의 이름은 베풀 설에 큰집 하를 썼다. 설하는 이름도 무당 같았다. 베푸는 큰 집. 사람들은 설하에게 사연을 말하러 왔다. 설하는 누구도 허투루 돌려보내지 않았다. 말과 표정에 진심을 꾹꾹 담아 조언했다. 베풀어야 마땅하다고 생각했다. 설하는 이름처럼 산다. 베푸는 큰 집이다. 설하는 열일곱에 직접 이름을 바꿨다. 열일곱부터 설하가 됐다. 무슨 생각으로 설하로 바꿨냐 물으면 무당이 되려고 그랬나 보지-라고 한다. 나는 그 말이 아프다. 무당 될 걸 알고 그랬든 아니든 열일곱에 그런 한자가 땡기는 건 서글픈 일이다. 몸은 애고 마음은 어른이라는 말이다.

사람들은 인간 설하를 모른다. 무당 설하만 안다. 점을 술술 읊거나, 마음을 관통하는 말을 하거나, 선녀가 실려 다섯 살처럼 말하는 설하를 기억한다. 고요하고 말이 없는 인간 설하를 본 적 없다. 인간 설하는 기억되지 않는다. 기억되지 않아서 회자 되지 않는다. 회자 되지 않는 인간은 죽은 인간이다. 설하는 죽은 인간이다. 오로지 신의 그릇으로만 존재한다. 설하는 그 사실을 안다. 그 사실이 괜찮기까지, 가슴 아프지 않기까지 설하는 견뎠다. 어려서는 무당 된 인생을 신에게 따지고 대들었다. 바짝 대들다가 신에게 졌다. 무슨 수를 써도 무당 되는 수밖에 없다는 걸 인정했다. 인간 설하가 죽은 설하라는 사실에도 끄떡없을 만큼 설하는 단단하다. 단단한 그릇이다. 인간사 욕심 없고 속세에 미련없는 걸로 무당 자질을 따지자면 설하는 일등이다. 신이 탐낼 수밖에 없다.

설하에게는 취향이 있다. 그건 설하의 취향이 아니다. 모시는 신들의 취향, 미미의 취향이다. 설하의 입맛이 자주 변하는 것, 옷 취향이 자주 바뀌는 것도 그런 이유다. 설하는 지난 한 주간 매일 고기를 먹었다. 모시는 신명 중 그런 입맛 가진 이가 한동안 실려 있었다. 금주는 신명 중 천상 대신 할머니가 실려있다. 설하의 천상 대신 할머니는 나물과 생선을 좋아한다. 당분간 고기는 거들떠도 안 볼 것이다. 나는 매 끼니를 설하와 먹는다. 설하에게 적응했다. 하루 두 끼, 일주일을 고기만 먹어도 함께 먹을 것이다. 설하는 더 이상 외로우면 안 된다. 설하는 죽은 설하로도 살아가려고 너무 오래 견뎠다. 이제 설하는 반질반질 예쁘게만 살아가도 된다.

초하루와 보름이면 설하 집에는 사람이 잔뜩이다. 원래 무당은 초하루와 보름에 상 차리고 신도를 불러 말씀 나누고 대접하는 게 관례다. 설하에게는 설하가 없으면 곤란한 사람이 많다. 피를 나누지 않아도 딸린 식구가 많다. 설하 말에 살거나, 설하 글에 살거나, 설하 덕분에 살아남은 사람들이다. 병원도 양약도 들지 않는 세상이 어딘가는 있어서 설하는 필요하다. 그래서 설하는 죽은 인간이지만 산 인간이다. 인간 설하는 죽었고 무당 설하는 살았다. 생(生)과 사(死) 사이에 있는 인간이다. 아무도 설하를 이해할 수 없다. 그러나 설하는 산 것도 죽은 것도 이해할 수 있다. 그래서 서글프다.

나는 설하를 사랑한다. 다른 친구들도 설하를 사랑하고 신도들도 설하를 사랑한다. 설하는 이제 서글프지 않다. 온전히 이해받을 수 없지만 설하가 먼저 이해한 것들이 설하를 사랑하러 온다. 먼저 베풀어야 겨우 사랑받는 인생이지만 베푼 게 많아서 사랑 주러 많이들 올 것이다. 오늘은 설하 점을 내가 쳐주련다. 설하는 영영 행복할 것이다. 사랑받고 살 것이다. 인간 설하는 죽고 무당 설하는 살았어도 무당 설하 죽는 날엔 인간 설하 잘 살았다고 박수받을 것이다. 참 아이러니한 인생이다. 그게 무당 인생이다.

될 놈은 된다, 진짜?

될 놈은 된다. 줄여서 될 놈 될. 이 말은 힘이 있다. 사람은 자기가 어떤 사람인지 궁금하기 때문이다.

'될 놈 될이라고? 나는 될 놈일까?'

될 놈 될 들으면 열에 아홉이 그렇게 생각한다. 사람들은 될 놈 하고 싶다. 피 터지게 노력해서 결과 기다리는 사람은 당연지사 될 놈 바라는 게 맞고, 지루한 인생 천금 같은 우연으로 뒤집히길 꿈꾸느라 될 놈 바랄 수도 있다. 될 놈 될은 누구의 편도 아니다. 보상 받아 마땅한 놈, 놈팡이 같아도 팔자 좋은 놈 가리지 않고 있다. 그렇다면 누가 될 놈 될까?

될 놈은 두 종류다. 타고나기를 될 놈과 이 악물고 될 놈 된 경우다. 타고나기를 될 놈은 거짓말처럼 될 놈 돼 있다. 그들은 자기도 모르게 될 놈 돼 있을 때가 많다. 종교의 측면으로 축복받고 태어났다든가, 전생 업장 잘 닦아서 근사하게 태어났다고 할 수 있다. 그들은 될 놈 되기까지 어그러짐이 잘 없고, 자연스러운 게 많아 처음부터 될 놈인 것처럼 그 자리에 있다. 그건 복 많은 놈이다. 복 많은 놈은 축하해 주면 된다. 이 풍진 세상 복 많은 놈 된 건 나름의 이유가 있어 용심 낼 필요 없다. 저놈이 왜 잘 될까 싶어 추측하거나 의심 말고 운 좋은 놈이라고 박수 치면 된다. 내가 궁금한 건 이 악물고 될 놈 된 경우다. 제 팔자 이겨낸 독종 같은 인간들 말이다.

쓸만한 예시로 내 인생의 그런 놈들을 생각해 보자. 먼저 민규가 생각난다. 민규는 부자 아빠 만나 좋은 수저 물고, 사업적 감각과 수완을 잘 배우고 자랐다. 민규는 팔자 좋은 놈이다. 그러나 아니다. 민규는 아빠 덕에 다 됐다는 소리 듣기 싫어서 이 악물고 일한다. 하루도 안 쉰다. 어쩌다 쉬는 날 만나면 일하느라 얼굴 엉망돼 있다. 혹자는 민규가 이 악물고 일하는 것도 다 아빠 덕이라고 오해한다. 그러나 부자 아빠 만났다고 자식이 만능일 거라면 오산이다. 걔는 아빠 덕이라는 한 줄의 오해도 없으려고 남보다 몇 배로 움직인다. 아빠 그늘 속에 화초처럼 자란 인생이 한 줌의 그늘도 반기지 않아야 해서 힘들다. 걔 인생은 그렇게 살아야 오해 살까 말까다. 그 힘든 걸 반겨서 민규는 되고 있다.

다른 곳에는 우영이 있다. 우영은 장사를 한다. 팔자가 세서 수단이 좋아도 돈 모으기 어렵다. 한자리에 있으면 이골 나 돈 바짝 벌고 외국으로 돌아야 한다. 돈 벌면 쓰고, 돈 벌면 썼다. 경험치는 많아도 자산 모으기 어렵다. 그러나 우영은 돈에 혹하지 않는다. 남보다 배로 한 경험이 다시 돈 벌 자리 만들어 줄 걸 알기 때문이다. 우영은 요즘 카페를 한다. 인테리어만 장장 다섯 달이 걸렸다. 돈 때문이다. 바닥 타일, 전기 배선, 3m가 넘는 카운터와 매대 만드는 것도 직접 다 했다. 나무 잘라 톱질해서 만들었다. 직접 해서 돈 아꼈고 손님 많다. 우영이 바깥에서 구른 경험이 우영을 그렇게 만들었다.

우영과 민규는 공통점이 있다. 우영과 민규는 지지 않는다. 민규는 누가 오해하고 제멋대로 평가해도 지지 않고, 우영은 외국 돌고 돈 없어도 지지 않는다. 노력해도 오해 사고, 한때는 돈 없고, 우울하고, 팍팍하지만 고깟 감정에 안 지려고 이 악물었다. 독종이다. 그래서 잘 되는 중이다. 민규가 독종 아니었으면 아빠 돈이나 펑펑 쓰며 놈팡이 됐을 거고, 우영은 장사 시작도 못했을 것이다. 그 애들이 타고나서 잘 됐을까. 아니. 그 애들은 안 지기로 마음먹은 거다. 원래 세상은 팍팍하고, 힘껏 노력해야 겨우 되는 걸 알아서 이 악물었을 뿐이다. 인생은 남을 이기며 사는 게 아니라 지는 걸 죽기 살기로 안 해야 된다는 걸 걔들에게서 봤다.

지지 않고 버티는 거 어렵고, 쓴 거 삼키고 단 거 뱉는 거 어려워서 될 놈이 적은 것 같다. 이건 될 놈 많아지라고 하는 얘기다. 점보는 사람의 소견으로 어느 인생이든 꽃 피는 시기가 있다. 어떤 인생이든 상승과 하향 곡선을 번갈아 그리기 때문이다. 떨어지면 올라간다. 그 시기를 잡으라고, 놓치지 말라고, 있는 힘껏 버텨서 더크게 누리라고 말하고 싶다. '될 놈은 된다.' 이 말이 힘 있고 끌리는 건 어떤 된 놈은 무진장 노력해서 쉽게 이룬 놈이 아니라는 걸알기 때문이다. 우리는 그들을 안다. 그들을 동경해서 저 말이 힘있다. 나는 민규나 우영같은 독종이 자꾸 생기길 바란다. 어떻게든 살겠다고, 살아남겠다고 악착같이 떼쓰는 인간들이 좋다. 너무좋다.

순자

순자, 나의 가장 친한 친구 미미의 엄마. 우리 순자는 늘 조심하라고 말했다. 운전해 멀리 나갈 때도, 사람을 만나러 갈 때도, 여하튼 마지막 인사가 늘 조심하라는 거였다. 나는 이해가 잘 안 됐다. 멀리 운전하는 일은 그렇다 치고 어째서 별별 일들에 다 조심하라는지, 정확히는 맥락상 사람 만나는 일이나 밥 먹으러 가는 일에 조심하라는 말이 따라붙는 게 맞는지 의심스러웠다. 순자가 조심하라고 할 때, 당최 무엇을 조심하라는지 묻는 것도 웃겨서 그냥 알겠다고 말았지만 늘 궁금했다. 순자야, 엄마야, 대체 무엇을 조심하라는 거야….

시간이 흘러 차츰 순자 말을 이해하는 중이다. 친구 만나러 가는 것도, 운전해 가는 것도, 집에 가는 것도 다 조심하라던 순자를 뒤늦게야!

나는 4년 전, 미미와 순자가 있는 부산 이 동네에 이사 왔다. 꼬박 10년을 서울깍쟁이로 살다가 생전 처음 부산 살기 시작했으니 모든 게 어색했다. 순하고 부드러운 서울말만 듣다가 거친 부산말에 둘러싸였을 땐 온 세상이 시끄러웠다. 슈퍼 아저씨며 세탁소 사장님이며 뭐가 그렇게 화가 난 것 같은지. 사실 그들은 화난 게 아니고 말투가 그럴 뿐이다. 구수한 사투리를 알아듣지 못해서 뭐라고 하셨는지 묻고 또 묻다가 답답하단 성화를 몇 번씩 끌어 먹혔다. 동네 사람들 눈에 어리숙함을 넘어 얼빵(!)한 모양새로 돌아다녔으니 순자는 말끝마다 조심하라 할 수밖에 없었을 것이다.

요즘 드는 생각은 나의 얼빵(!)한 모양새가 조심하란 말을 유발한 것도 맞지만, 사실 순자는 더 큰 이유가 있어 보인단 거다. 부산에 적응한 후, 이 동네에서 가장 거친 말을 구사하는 사람이 내가 되었을 때도 순자는 조심하란 말을 멈추지 않았다. 순자가 조심하란 말을 달고 사는 진짜 이유는 따로 있었을지도 몰랐고 이제야 알아가는 중이랄까. 살아보니 순자 말이 이해된다. 나는 얼마 살지도 않아서 '살아보니' 같은 수식을 붙이는 건 몸이 막 근질거리는데 그래도 어쩔 수 없다. 살아보니 사는 건 온통 조심할 것 투성이라는 거, 정신 바짝 차려야 한다는 거 말이다.

운전할 때는 사고 안 나게 당연히 조심해야 하고, 밥 먹을 때는 예의 있고 흠 잡히지 않게 먹어야 하고, 친구 만날 때는 상처 되는 말 안 하게 조심해야 하고, 나이 서른한 살 먹었어도 순자 눈에는 철딱서니 없이 뽈뽈거릴 때가 얼마나 많겠는가. 조심 안 하면 벌어질 수천 가지 사고들을 인생 선배 김순자는 일찍이 경험해 보고 조심하라는 것 같았다. 먹고, 쓰고, 말하는 거 다 조심해서 어디서도 흠 잡히지 않는 예쁜 딸로 살아라, 누구 하나 상처 주지 않고 아프게 하지 않으며 인간답게 살아라, 그러려면 조심해야 한다 아니었을까.

우리 순자는 미미 엄만데 우리 엄마다. 얼마 전에는 지독한 열병에 걸려 앓아누운 나를 위해 꽃게를 다섯 마리씩 넣어 된장을 끓여 왔다. 어른 얼굴만 한 꽃게가 탕 속에 그득 들어앉았는데 어찌나 눈물이 나던지. 꽃게 된장국 줄 때도 입 안 다치게 조심하라고 잔소리했다. 나는 자기 배 아파 낳은 자식 아니라도 나 아프면 밥이고 국이고 잔뜩 해 주는 김순자 생각해서 인간답게 살아야 한다. 바보 같은 김순자. 새벽 4시에 일어나 저녁 7시까지 일하고, 고작 몇 시간 자고 출근하면서도 나를 챙겨주는 바보 같은 김순자.

미미에게

나는 가슴 절절한 사랑 얘기가 싫다. 정확히는 못 읽겠다. 그런
글들 있잖은가. 좋고 싫고를 떠나 손이 안 가는 글들. 나도 한때는
구구절절 사랑 얘기만 써 봤고, 이별에 속앓이하는 얘기만 했고,
세상 모든 게 이별의 이유가 된 것처럼 울기만 한 적도 있다. 시간
이 흘러서인지, 연애를 안 한 지 너무 오래돼서인지 정확한 이유는
모르겠다. 그냥 손이 안 간다.

사랑 얘기에 손이 안 가는 사람이 사랑 얘기를 쓰기. 오늘의 숙
제였다. 내가 할 수 있는 말은 오직 한가지 뿐이었다. 어떤 사랑도
구구절절하게 기억하지 말라는 거다. 나는 구구절절한 서사를 가
장 두려워한다. 감정으로 점철된 서사는 어느 날은 예쁘게, 어느
날은 슬프게, 어느 날은 황망하게 기억되기 때문이다. 그 말은 즉,
그 서사는 언제든 하루를 망칠 가능성을 안고 있다는 말이다. 나는

그런 가능성이 무섭다.

보통 그런 상태는 결말이 온전치 못할 때 만들어진다. 서로의 바닥까지 다 본 연애는 미련이 없다. 다 아니까 돌아볼 필요가 없던 셈이다. 반대로 쇠공이 되어 우리의 가슴을 두드리던 연애는 어떻던가. 더 잘 해줄걸, 미안하다는 말을 한 번이라도 더 해볼걸, 수십 개의 가정을 복기하면서 다른 결말을 추측하기 바쁘잖은가. 추측은 또 다른 감정을 만들어낸다. 그때부터는 일어나지도 않은 일을 혼자 유영하는 모양새가 된다. 이 복잡하고 무한한 연결고리를 벗어나는 방법은 미련하게도 오직 시간뿐이었다.

어떤 관계는 끝장을 보지 못한다. 미미는 그런 걸 두고 미완성이라고 불렀다. 미완성의 속성은 상상이다. 끝을 보지 못해서 추측하고 상상하며 여러 결말을 만들어낸다. 그 수많은 상상이 과거를 못 떠나게 한다. 누구나 길을 잃을 수는 있다. 그러나 양껏 상상해도 답을 알 수 없다면 과감히 버릴 줄도 알아야 한다.

나는 헤어진 애인이 남기고 간 걸 신원미상이라 부르기로 했다. 그와의 결말을 캐면 캘수록 그가 누구였는지, 내가 알던 사람이 맞는지 헷갈리기 때문이다. 내게는 신원미상의 결말을 알 재간이 없다. 뒤돌아가는 그를 붙잡고 물어봐도, 우리가 함께한 모든 시간을 다시 정렬해봐도 알 수 없을 것이다. 어떤 결말은 기억도 나지 않는 사사로운 인과가 쌓여 만들어지기도, 그저 우연처럼 만들어지기도 하는 법이다. 그런 이유로 지난 일은 앞으로도 기억하지 않을 것이다. 기억이 지닐 왜곡의 힘을 감당하는 건 살아가야 할 사람에게는 고약한 버릇에 지나지 않을지도 모른다.

사랑에는 힘이 있다. 그게 온 세상을 달리 보게 할 만큼 커다란 줄 안다. 나는 지난 사랑에 연연하지 않을 뿐 나를 살아가게 하는 지금의 사랑에 최선을 다하는 중이다. 미미라던가, 친구들이라던가, 가족이라던가. 꼭 구구절절하고 가슴 아리는 사랑만 우리를 울리지는 않는 것 같다. 사랑은 이런 거라고, 우리는 믿고 싶은 대로 믿었던 걸지도. 진짜 사랑은 우리를 결코 쓰러지게 만들지 않을 것이다.

온 세상을 눌러쓴 연애편지라던가, 한 편의 시가 되어 자꾸 떠오르는 사람이라던가, 나는 그런 사연 있는 사랑 얘기들로만 책장을 채우고 싶지는 않다. 가슴 아리는 과거형으로 글 속에 박제될게 아니라 내 곁에 있는 사람에게 현재형으로 말하고 싶다. 쭉 함께하자고, 건강 하자고, 벌 수 있을 때 벌어 서로를 위해 쓰자고, 각자가 할 수 있는 최선을 다하며 살자고 말이다.

미미에게

관상, 재밌으시죠?

옛날에 아버지가 그랬다. 수상 (손 모양)보다 족상(발 모양), 족상보다 관상, 관상보다 심상이라고. 마음이 어떤지가 가장 중요하다는 말인데 나는 제자 된 지금도 이 말 공감한다.

수상과 족상은 볼 일 없어 잘 모른다. 관상을 보다 보면 그 너머 심상이 보이는데 겉보기와 달라 놀랄 때가 많다. 얌전하고 순진하게 생겼는데 속에 언제 터질지 모를 시한폭탄을 안고 있다던가, 괄괄하니 성질깨나 부리게 생겼는데 속은 여리다던가. 여러분 알다시피 어찌 한 사람을 딱 떨어지는 한마디로 정의하겠는가. 손님이 겉과 속 다르게 보일 땐, 겉보기는 아닌데 속은 괄괄하네요 라고 할 게 아니다. 사람 속에는 두 가지가 들었다. 본성과 요즘 감정. 속에 든 게 본성인지, 그야말로 요즘 감정인지 잘 봐야 한다. 까다롭다. 사람은 그냥 봐서는 모른다. 저마다 말 못 할 본성이나 속 얘기

마음속에 하나씩 있다.

심상 얘기에 앞서, 관상은 과학이다-라는 말이 있다. 이 말이 유행처럼 돌만큼 사람들은 엇비슷하게 기분 나쁜 관상이 있는 듯하다. 관상은 과학이란 말은 수많은 검증을 요구하겠지만 그러한 절차를 거치지 않아도 관상이 중요한 걸 모르는 사람은 없다. 관상에는 기분과 성격, 청결도 등이 고루 드러나기 때문이다. 그러나 더 중요한 게 있다. 비슷한 생김새라면 영 다른 인생을 사는 건 심상 때문이다. 한 사람 인생을 결판 짓는 건 웬만큼 여기서 온다. 보통 사람들은 관상만 봐서 심상을 꿰뚫긴 힘들다. 심상은 어떤 순간에 볼 수 있다.

흔히 배불렀을 때다. 혹자는 배부르면 배고팠던 시절을 잊는다. 작은 것에 감사했던 사람이 큰 것에 감사할 줄 모른다. 잘 돼서 변하는 사람은 잘 돼서 변한 게 아니라 원래 마음 약하고 줏대 없던 거다. 잘 안 됐을 때는 처지에 가려 본성이 드러나지 않았던 것뿐이다. 잘 돼도 여전한 사람은 마음이 강하고 확실하다. 돈에 혹하지 않고, 잘 풀렸으면 언젠가 내려갈 걸 알고, 잘 됐으니 베풀어야한다는 거 안다. 예시를 보면 상황과 기분에 말려 뒷일 생각 못 할때 심상이 드러난다. 잘 됐을 때 붙어있는 친구가 진짜 친구라는 말도 여기서 나온 것 같다. 주변의 누군가 잘됐을 때 시기 질투에 말리지 않는 사람이 곧 진짜일 수 있기 때문이다.

나는 심상 볼 때 먼저 눈동자를 본다. 눈동자는 한 사람을 말하는 곳이다. 정확히는 안광이다. 눈빛이 어떤지, 맑은지 탁한지 본다. 가만 보며 그의 심연으로 들어간다. 누구는 맑고, 깨끗하고, 누구는 저만 아는 칼 한 자루 숨겨 놨고, 누구는 매 순간 부자 되는 상상 한다. 마음은 저마다 다른 형태로 살아있다. 생긴 건 차분하니 공부만 하게 생긴 이가 사업가로 성공하는 거, 생긴 건 괄괄하니 못됐게 생긴 이가 다른 사람 돕는 거, 전부 마음처럼 살아 그렇다. 어쩌면 심성은 하나씩 있는 비밀 무기 아닐까. 타인의 예상을 깨고 오직 너만이 완벽히 설명할 수 있는 너로 살아가라는, 비밀 무기.

그래서 심상은 바뀔 수 없냐고? 바뀔 수 있다. 관상이 사는 버릇에 따라 바뀌듯 심상도 마찬가지다. 사람은 변한다. 나쁜 사람이 좋은 사람으로, 좋은 사람이 나쁜 사람 될 수 있다. 그러니 각자 마음에 숨겨둔 비밀스러운 세상을 잘 닦아갔으면 한다. 홀로 풍요롭지 말고 소박하더라도 함께 살아가기를 바란다.

어떤 엄마에 관한 얘기 1

순자는 떡집 사장님이다. 순자는 나의 가장 친한 친구 미미의 엄마다. 미미의 엄마면서 나의 엄마다. 순자는 나의 친구 우영이나 지인의 엄마기도 했다. 순자는 미미의 엄마이자 나의 엄마고, 친구들의 엄마다. 우리는 어머니 뭐 하시냐는 질문에 엄마 떡집 해요-라고 잘 말했다. 순자는 엄마로 태어난 것 같다. 태생이 엄마고 직업이 엄마 같다. 나는 일이 힘들고 마음이 궂으면 순자에게 간다. 순자 옆에 있으면 세상 풍파가 나는 비껴갈 것 같다.

순자는 부지런하다. 새벽 4시에 출근하고 저녁 7시에 퇴근한다. 떡은 아침에 필요한 사람이 많다. 그래서 순자는 가장 먼저 아침을 시작해야 한다. 순자는 출근 전 미미의 집에 들른다. 걸어서 1분 거리다. 순자는 미미와 내가 먹을 아침을 놓고 간다. 윗집 사는 할머니 것은 덤이다. 새벽부터 일어나 밥을 짓고 국을 끓인다. 우리는 순자가 해온 밥으로 아침을 시작한다. 윗집 사는 할머니도 마찬가지다. 순자는 아침부터 다른 사람 입에 들어갈 걸 그냥 해주는 사람이다. 나는 그냥 해준다는 말을 떠나지 못한다. 그냥은 엄마만 할 수 있는 일이니까.

순자는 대구 쪽 촌 동네에서 태어났다. 집 앞으로는 큰 강이, 뒤로는 큰 산이 있는 집 셋째 딸이다. 순자는 강에서 수영하고 물고기 잡고, 산에서는 토끼 잡고 컸다. 소를 데리고 산을 다니며 여물을 먹였다. 그래서 순자는 산을 잘 탄다. 높고 가팔라도 다 순자 땅이다. 어린 순자는 자주 죽을 뻔했다. 순자의 엄마는 순자를 뱄을 때 고추가 냇물 위로 동동 떠내려가는 꿈을 꿨다는데 아들인 줄 알았던 순자가 딸이 되어 왔단다. 아들이 귀한 집이었다. 순자의 아빠는 딸이 된 순자가 미웠다. 갓난쟁이 순자를 이불에 둘둘 말아 골방에 죽으라고 처박아놨다. 순자는 살아서 돌아왔다. 오일쯤 지났나 죽었겠다 싶어 가보니까 이불 보쌈 속에서 새까만 눈을 끔뻑거리며 쳐다보더란다. 순자는 겨우 그 집 딸이 됐다. 순자는 겨우 그 집 딸이 돼서 순자가 됐다. 순자가 딸이니까 다음에 아들 태어나라고 순자 이름에 아들 자를 넣었다.

달아나는 소를 쫓다 다리를 다쳐 학교를 늦게 간 순자, 물고기 잡다 강에 빠져 죽을 뻔한 순자는 사사롭다. 순자의 아버지는 옛사람이 그렇듯 미신을 지극히 믿었는데 이 집 셋째 딸은 딴 집에 팔려 가지 않으면 무당 된다고 들었다. 그래서 열일곱 된 순자를 딴 집에 팔았다. 순자는 그 집에서 식모 살며 학교를 다녔다. 팔려 간 순자를 첫째 오빠가 데리러 왔다. 순자 인생은 이상하다. 그러나 가장 이상한 건 순자다. 순자는 세상 미워할 이유가 너무 많다. 그러나 아무것도 미워하지 않는다.

사람들은 순자가 바보 같고 독하지 못해서 그렇다고 할지 모른다. 그 시대 사람은 원래 그런 거라고 할지 모른다. 아니다. 순자는 바보도 아니고 독하지 못한 것도 아니다. 순자가 독하지 못했으면 순자는 일찍 죽었어야 했다. 골방에 보쌈 돼서 처박혀 있을 때 죽었어야 했고 다른 집에 식모살이 갔을 때 서글퍼서 죽었어야 했다. 아들 아니라고 죽이려던 아버지를 원망하다 화병 났어야 했고 힘없는 엄마를 미워하다 가출했어야 했다. 그러나 순자는 살면서 한 번도 그런 적 없다. 독하게 살아남아 한다는 게 이 집 저 집 아침 해주고 떡 짓는 일이다. 그래서 순자는 자기 딸 친구들이 다 엄마라 부르고 생일 선물도 많이 받는 거다. 61년 소띠 김순자. 박미미와 이윤우의 엄마. 가끔 조우영과 이지인의 엄마. 우리는 김순자 딸이라 김미미도 김윤우도 된다. 그게 하나도 이상하지 않다.

어떤 엄마에 관한 얘기 2

골방에 보쌈 돼서 처박혀있던 순자, 무당 되지 말라고 열일곱에 남의 집에 팔려 식모살이한 순자, 달아나는 소를 쫓다 다쳐서 학교를 늦게 간 순자, 어떤 순자…. 순자는 딸이라서 다음에 아들 태어나라고 순자 이름에 아들 자가 쓰였다. 순자는 이름도 다음에 태어날 아이에게 희생했다. 순자가 희생해서 순자 다음에는 정말 아들이 태어났다.

순자는 사 남매의 셋째 딸이었다. 첫째는 아들이라 귀하고, 둘째는 딸이지만 첫 딸이라 귀엽고, 셋째는 아들이어야 했는데 딸이라 죽을 뻔했고, 넷째는 막내아들이라 귀했다. 순자 형제는 원래 열 명이었는데 넷만 남았다. 순자의 첫째 오빠 위로 여섯 명이 더 있었는데 열 살을 넘기지 못하고 다 죽었다. 그래서 순자 아버지는 원래부터 아들 귀했지만 더 귀해졌고 순자 어머니는 자식 잃은 슬픔에 미쳐서 천지에 빌었다. 순자네 집 뒷산에는 냇물이 졸졸 흘렀는데 순자 아버지 집 대대로 뒷산 냇물에다 단지를 놓고 윗대 할머니를 모셨다. 동네 사람들이 하는 이 말, 저 말에 휘둘려 단지를 모셨다가, 버렸다가 했단다. 그러던 중 자식 여섯이 열 살을 넘기지 못하고 다 죽었다. 순자 어머니는 단지 다시 모시고 절대 버리지 않겠다고 약속하며 남은 자식 넷은 살려달라고 빌었다. 넷은 죽지 않았다.

순자 아버지는 동네에 사람이 죽어 상여가 나갈 때, 앞장서 상여 노래를 부르는 사람이었다. 미신을 지극히 믿었다. 순자가 무당 안되려면 식모살이 시키라는 말을 믿었다. 순자 아버지가 상여 소리를 내고 순자 어머니가 밤낮으로 비니까 순자가 무당 될 팔자라는 말을 들어도 이상한 건 아닐 것이다. 순자가 이상하리만치 죽다 살아나니까 쟤 팔자는 무당이라는 말이 옛사람 입에서 나올 수도 있었다. 근데 슬프게도 순자는 정말 무당 같았다.

순자 집은 대대로 그렇다. 순자 아버지 쪽 핏줄이 무당이라 순자 아버지도 상여 소리를 냈다. 뒷산 냇물에다 대대로 단지에 윗대 할머니 모실 만큼 유서가 깊다. 순자 아버지가 신 받고 박수무당 할 사람인데 아버지가 안 하니까 순자에게 신이 왔다. 순자는 어렸을 때 식구들 못 보는 도깨비불도 혼자만 보고, 뭐에 미쳤는지 집에 불도 지르고, 아궁이에 불 땐다고 꼬챙이 들고 있으면 무당이 오방기 잡는 것처럼 손이 하늘로 막 올라갔다. 그땐 나 미쳤는갑다, 미쳤는갑다 하면서 손을 때렸다. 원래 신은 알아주지 않으면 대를 걸쳐 내려간다. 순자는 딸 아니라서 이름 희생하고, 아버지가 무당 안 해서 희생했다.

순자 아버지는 그것도 모르고 순자를 남의 집에 팔았다. 무당 팔자는 딴 집에 식모 산다고 무당 안 되지 않는다. 신이란 게 고작 식모 산다고 피해 가면 신일 수 없다. 순자가 무당 안 된 건 순진해서 그렇다. 신이고 무당이고 몰라서, 손이 제멋대로 올라가고 귀에 뭐가 들려도 몰라서, 아파도 원래 그런 줄 알아서. 순자 아버지는 순자가 시집가기 몇 해 전 돌아가신다. 연탄가스 먹은 아버지와 순자 동생이 한밤중 병원에 실려 갔다. 고치는 데 필요한 기계 두 대 중 한 대가 고장 나 아버지나 동생 중 한 사람만 살릴 수 있었다. 오래 산 아버지가 죽었다. 그날은 순자 생일이었다. 순자는 순하게 자라 몰래 아프고 기구하게 지내다 출가외인 된다.

김순자는 경상도에서 나고 자란 선비에게 시집을 간다. 밀양 박씨 박창호가 김순자의 남편이다. 밀양 박가와 안동 김가가 만나 결혼했다. 둘 다 알아주는 양반 성씨다. 그리고 순자는 무당 팔자답게 산다. 아이를 못 갖는다. 결혼해서 한 해, 두 해, 지나도 아이가 없다. 결혼한 오빠도, 결혼한 언니도, 결혼한 동생도 자식 있는데 순자만 없다. 병원에 간다. 아무 이상 없다.

순자가 무당 팔자라서 순자 남편 박창호도 아팠다. 가죽 회사 이사하던 박창호가 아파서 일을 관두자 순자는 하루 서너 개씩 일만 했다. 식당, 목욕탕 청소, 아파트 방역, 순자는 잠자는 시간 빼고 일하면서 새벽에는 아이 갖겠다고 기도했다. 새벽 4시에 일어나 찬물로 몸을 씻고 두 시간 걸리는 절에 간다. 하루도 빠지지 않는다. 대법당에도 들어가지 않는다. 대법당 마당에서 절한다. 대법당 마당에서 절하고 칠성각 앞에 흐르는 물 한 바가지 마시고 일 간다. 언제는 날 잡고 삼천 배도 한다. 그걸 자그마치 십 년 한다. 십 년 동안 삼천 배는 백 번도 더 했다. 아들도 욕심이다, 아들은 필요 없다, 예쁜 딸 하나만 갖게 해달라고 하늘에 빌었다. 비가 오나 눈이 오나 십 년을 빌었다. 그렇게 정확히 십 년째 기도했을 때 임신했다. 그해 겨울, 예쁜 딸이 왔다.

어떤 엄마에 관한 얘기 3

1993년, 1월, 겨울, 순자가 새벽 4시에 일어나 찬물로 몸을 씻고, 두 시간 걸리는 절에 기도 다닌 지 십 년 되었을 때, 순자는 예쁜 딸을 임신했다. 정말 딱 십 년만이었다.

순자는 1993년 11월 어느 날에 아이를 낳았다. 아이는 정확히 자정에 태어났다. 자정을 알리는 괘종소리와 애 울음소리가 동시에 났다. 아이는 00:00에 태어나 생일을 언제로 해야 할지 모호했다. 그래서 아이 생일을 음력으로 챙기기로 했다. 아이 생일은 1993년 10월 4일이었다. 1004, 천사. 순자는 아이 생일이 천사라서 좋았다. 아이는 세상에 나올 때 머리숱이 많았다. 뱃속에서 머리카락이 다 자라서 나온 애 같았다. 아이는 똑똑했다. 그 집안 또래 아이 중 가장 먼저 한글을 익혔다. 어려서부터 잘 읽고 잘 썼다. 동네에서 알아주는 똑순이가 됐다. 아이는 밤마다 울었다. 불만 끄면 뭐가 보인다며 울었다. 순자는 아이가 밤만 되면 울어서 스님 말씀 듣고 닭 그림을 거꾸로 걸어놓았다. 아이는 울지 않았다. 아이는 똑똑하고 이상했다.

순자 딸을 예비 며느리로 점 찍은 동네 아줌마가 많았다. 순자 딸은 똑똑했기 때문이다. 동네 아줌마들은 유치원 소식을 순자 딸에게서 들었다. 당신 자식들이 못 듣고 못 본 건 순자 딸이 다 듣고 다 봤기 때문이다. 그 무렵 순자 남편 박창호도 일을 시작했다. 순자는 딸을 돌봤다. 순자는 다 됐다고 생각했다. 앞으로 고생할 일은 없겠다고 믿었다. 순자는 딸을 잘 키웠다. 딸은 또래보다 잘 먹지 않았다. 작고 말랐다. 순자는 밥 안 먹겠다고 도망 다니는 딸을 붙잡아 가며 밥을 먹였다.

딸이 무럭무럭 초등학교 3학년 됐을 때, 순자 남편 박창호는 망한다. 사업이 다 망했다. 순자는 다시 하루 서너 개씩 일하러 간다. 지독한 김순자. 김순자는 남편 사업 망했다고 퍼질러 울지 않았다. 본능처럼 집을 나섰다. 누군가가 엎어지면 누군가는 살아나야 한다는 생리를 김순자는 알았다. 순자가 양손 불어 터져라 일 다닐 때 딸은 아프다. 하늘에 십 년 빌어 어화둥둥 키웠던 예쁜 딸이 영 미쳤다. 딸은 자꾸만 자꾸만 이상하게 말했다.

딸은 티비에 무당 나오면 자기 무당 될 거 같다고 말했다. 김순자는 미칠 것 같았다. 하루걸러 굿하느라 재산 탕진한 아버지 생각 나 미칠 것 같았고, 하늘도 땅도 다 알게 빌어 낳은 내 자식이 무당 될 거 같다고 해서 미칠 것 같았다. 순자는 딸 말 들은 체도 안 한 다. 딸이 나다니며 아무것도 없는 자리에 사람 서 있다고 할 때마 다 귀 틀어막고 가슴으로 운다. 딸은 잘하던 공부도 다 내팽개치고 중학생 나이에 혼자 점집 다닌다. 딸은 혼자 점집 다니며 신 받으 라는 말 듣는다.

순자네 집은 엉망진창이다. 남편 박창호는 사업 망해서 폐인 됐 고 김순자는 빚 갚느라 하루 네 개씩 일하고 딸은 세상 것 아닌 게 보고 들려서 미쳐 돌아다닌다. 김순자는 돈 없어서 물에 밥 말아 먹고 일 네 개 하러 간다. 김순자는 돈 없고 엉망 돼도 남편 자식 버리지 않는다. 김순자는 남편 자식 버리지 못한다. 너것들 때문에 내 인생 엉망 된 것 같아도 사람이 사람 버리면 못 쓴다는 거 김순 자는 안다. 순자는 순자 딸 나이 열일곱에 부산으로 이사한다. 보 다 못한 순자의 언니 김순이가 부산으로 데려온다. 순자는 부산에 서 떡집 냈다. 순이가 도와줬다. 순자 남편 박창호도 집 밖으로 나 왔다. 순자와 창호는 열심히 떡집 한다. 고등학생 딸은 아직 미쳐 있다.

어떤 엄마에 관한 얘기 4

순자 딸은 고등학교 들어가 등교 첫날에 학교 관뒀다. 얼마 후 순자 딸은 미용을 배웠다. 미용 배울 땐 조금 덜 미쳤다. 미용 배워서 최저시급도 안 되는 돈 받아 가며 웨딩샵에서 일한다. 순자 딸은 일하면서 고등학교도 다시 들어갔지만 순자네 식구는 괜찮지 않다. 순자 딸은 여전히 이 세상 것 아닌 걸 보고 듣는다. 순자 남편 박창호도 매양 아프다. 순자는 살아온 세월이 슬프다. 슬프기만 해서 행복은 다 잊어버렸다. 순자 딸도 미침이 도가 넘어서 낮에 일하고 밤만 되면 달 아래서 울고 정신 잃는다.

순자는 딸에게 졌다. 어쩌면 신에게 졌다. 밤만 되면 뛰쳐나가 알 수 없는 말하며 달 아래서 우는 딸 말 들어보기로 한다. 어화둥둥 십 년 빌어 낳은 딸이 무당 소리 할 때마다 귀 막고 가슴으로 울었지만 자기가 식모 산다고 신 비껴가지 않았듯 딸도 피할 수 없는 게 아니냐고 의심해 본다. 순자는 가슴 치고 울면서 딸 따라다 닌다. 신 엄마 찾겠다고 전국 떠도는 딸 수발 다 들어준다. 점집 열 이면 열 곳이 신 받으라 한다. 순자는 점집 갈 때마다 속이 썩는다. 더 썩을 것도 없지만 또 썩는다. 그래도 딸 잘 따라다닌다. 순자 딸 은 어디서도 신 받지 않는다.

순자 딸은 알고 있었다. 순자 딸은 예부터 작은 여자애가 따라 다니는 걸 봤다. 그게 선녀 비슷한 거라고도 짐짓 알았다. 순자 딸 은 작은 여자애가 보인다는 곳 있으면 거기서 신 받을 거라 한다. 순자 딸만 보이는 애라 해도 귀신처럼 나쁜 건 아니라고 딸은 알았 다. 그러나 순자와 딸이 간 어느 점집도 그 애가 보인다곤 안 했다. 순자와 순자 딸은 전국을 헤맨다. 전국 헤매던 순자 딸은 동네에서 신 엄마 만난다. 돌고 돌아 동네에서 만났다. 신 엄마는 순자 딸 따 라다니는 여자애 있는 것도, 그게 누구인지도 알았다. 그렇게 순자 딸은 무당 됐다. 이제 순자 딸은 미쳐 돌아다니지 않는다. 집 청소 하고 공부하고 밥 잘 먹고 돈 잘 번다. 순자 남편 박창호도 제정신 돌아와 떡집하고 붓글씨 쓴다. 다 괜찮아졌다. 신기한 일이었다.

순자는 많이 울었다. 하늘도 울고 땅도 울게 울었다. 순자 딸 신 받는 날, 순자는 세상에서 제일 많이 울었다. 순자는 오방기 들고 자기 몸 때려가며 울었다. 순자 딸이 깃대 잡고 뛸 때, 예부터 따라 다니던 작은 여자애가 순자 딸 몸에 실렸다. 걔는 자기 이름이 옥

황상제 천상선녀랬다. 그러더만 순자가 십 년 빌 적, 절에 있던 칠성각 앞에 흐르는 물 먹어서 그 물 타고 왔댔다. 순자는 신기했다. 칠성각 앞에 흐르는 물 먹은 얘기는 한 적 없기 때문이다. 순자 딸은 무당처럼 말했다. 지난 일, 앞일 맞췄다. 순자는 딸 입에서 나온 얘기 다 사실이라서 더 운다.

순자는 자기 무당 안 해서 딸이 무당 될 것 같았으면 자기는 결혼도 안 하고, 자식도 안 낳고 무당 됐을 거라 한다. 순자 딸은 말한다. 엄마가 십 년 빌 때 칠성각 앞에 흐르는 물 먹고, 그 물 타고 선녀 왔다고 하니 자기는 태어날 때부터 선녀 있던 거라고, 그러니 나는 어쩔 수 없이 무당 했어야 한다고. 순자는 딸 말에 가슴 아프다. 순자 딸이 신 받아서 집안 조용하고 화목하고 싸우지 않아서 더 가슴 아프다. 이제 순자는 잘 웃고 일 잘한다. 가끔은 순자 딸 법당에 앉아 몰래 운다.

보쌈되고, 처박히고, 버려지고, 망하던 순자. 이제 순자는 괜찮다. 순자는 살면서 가장 행복하다. 딸이 무당 돼도 울지 않는다. 딸은 무당 돼도 할 일 잘하고 사람들에게 예쁨 받으며 잘 있다. 순자는 요즘 저녁께도 우리 밥 차려 준다. 배달해 먹으면 몸 나빠진다고 나무란다. 소고기 잔뜩 넣어 미역국 끓여준다. 순자는 자식이 많다. 나도 우영도 지인도 민규도 순자 자식이다. 자식 많아서 행복하다. 생일마다 선물 많이 받는다. 여름이면 여름옷, 겨울이면 겨울

옷 선물 받는다. 순자는 오래오래 건강만 하면 된다. 돈은 자식들이 갖다 줄 것이다. 기구하고 이상한 김순자. 기구하고 이상해도 남 탓 않고 다 떠안은 김순자. 순자가 거두고 떠안은 것들이 순자를 행복하게 할 것이다. 순자는 잘 살고 있다. 기구하고 신기한 일이다.

처음 세상에 왔을 때

태몽은 무속신앙 영역이다. 그러나 무속신앙 믿든 안 믿든 사람들은 태몽 믿는다. 태몽은 아이 밸 집에 삼신할머니가 내려주는 꿈이다. 아이마다 가지각색이다. 자기 탄생 기념하는 꿈이니 무속신앙 안 믿어도 태몽은 믿고 싶은 게 사람이다.

내 태몽은 파다. 만 평야 밭에 파가 끝없이 자란 꿈이었다. 파는 붓의 형상이다. 뿌리는 붓의 털이다. 비슷하게 사는 걸 보면 태몽은 한 인생을 관통할지도 모른다. 미미의 태몽은 미미 엄마가 예쁜 홍시 두 개를 바구니에 넣어 강 건너는 꿈인데 가는 길에 홍시 한 개는 물에 빠뜨렸단다. 만약 두 개 다 들고 강 건넜으면 부랄 두쪽 달린 예쁜 사내아이였을 텐데 하나가 똑하고 떨어져 예쁜 딸 나온 것 같다고. 꿈에서 강은 이승과 저승을 잇는 다리 역할을 하는데 미미 엄마가 십 년 빌어 미미 가졌으니 가히 천상에서 저승 강

건너 데려온 아이가 아니겠는가. 또, 감 하나 잃고 딸 낳는 게 맞다. 딸 달라고 십 년 빌었다.

우리 집에 자주 오는 손님들은 간밤 꿈꾸면 전화 온다. 어제 꿈 꿨는데 해몽해 줄 수 있냐고. 그들은 우리 집 혹은 미미 집에 기도 올린 손님이고, 우리가 뒤를 봐주는 격이니 응당 대답해줘야 한다. 그래야 이 사람 앞길에 있을 일을 조심하라 일러줄 수 있다. 요즘 태몽 꾼 손님이 많다. 얼마 전 미미의 손님 한 분도 아이 가졌다. 아이 갖길 학수고대했으나 영 소식 없어 속상했는데 올 연말 다다라 드디어 임신했다. 당연지사 태몽도 꿨다. 태몽은 주변 사람이 대신 꿔 주는 일이 흔한데 미미가 그분 태몽을 꿨다. 아이는 내년 중순께 나올 것이다. 갑진년 용띠해에 태어나 대단한 아이가 될 것이다. 나는 아이, 태몽, 탄생 같은 말에 운다. 두꺼운 포대기에 얼굴만 내놓고 울어 재끼는 갓난애 보면 눈물 난다. 풍진 세상에 지지 말라고, 뜻 없고 공허한 악의(惡意)들에 휩쓸리지 말라고, 너는 자라서 세상도 삼킬 거라고 맘속으로 말한다. 갓난애들은 알아들었을 것이다. 알아먹어서 나만 보면 울음 그치고 멀뚱멀뚱 쳐다볼 것이다.

태어난 줄도 모르고 선도 악도 모르고 거기서 거기인 갓난애가 어디서 왔길래 태몽이 제각각일까. 그저 신기하다. 신이 왜 없나. 사람들은 애 어디서 왔는지 설명할 수 없다. 생물학이고 물리학이고 덧대도 누구나 꿨으나 전부 달랐던 태몽 설명 다 못 한다. 설명

못해서 신 있다고 못 해도 없다고도 못하는 것이다. 방금 민규한테 전화해 네 태몽 뭐냐고 물었다. 민규는 껄껄 웃으면서 기가 막히고 코가 막히는 포도란다. 재물 많은 남자애다. 포도는 돈이다. 주렁주렁 열린 열매가 다 돈인데 너 그래서 돈 많은 집 막내아들로 태어나 호강하냐니까 아직 포도 따먹을 실력 안 돼서 고생 중이란다. 말하는 거 보면 애도 무당이다. 무당 안 된 무당이라 우리 친구다.

태몽에는 계급이 없다. 어떤 태몽이 가장 좋다고 말 못 한다. 한 사람 한 사람 성격과 방향을 크게 보여줄 뿐이다. 파 태몽, 홍시 태몽, 포도 태몽도 다 좋고 우리 아빠의 잉어 태몽, 미미 엄마의 고추 태몽도 다 좋다. 근데 쓰고 보니 웃기다. 파, 홍시, 포도, 고추, 전부 채소와 과일이잖아. 아무래도 비슷한 사람들끼리 어울리는 모양이다. 채소나 과일 태몽은 사업이나 종교, 가르침 관련 종사자가 나올 꿈이라던데 얼핏 맞는 것도 같다. 미미가 갑진년은 천상서 아이를 많이 보내주는 해라고, 주변께 임신한 사람 여럿 나올 것이랬는데 기대해 본다. 무리 없이 세상에 나와 빛 되고 가르침 되면 좋겠다.

잘 만든 책이 되어 당신의 책장에 있기를

그는 숲을 좋아한다. 울창하게 자란 나무들 사이 안개가 자욱하고, 조금만 걸어가면 호수가 나올 것 같은 그런 숲. 그는 이 풍경 속에 살고 싶다는 얘기를 했고, 나는 그 곁에서 함께 사는 상상을 했다. 숲의 찬 공기가 피부에 닿고, 모르는 벌레와 새가 뒤섞여 울고, 죽은 소나무 잎이 바닥 가득이고, 우리는 조금 걷다가 호숫가에 앉아 쉬는 상상들. 당신이 벌레를 싫어하기 때문에 그곳에서는 오래 살지 못할 거라고 생각하던 찰나 그도 그렇게 말한다. 벌레가 많아서 오래 살지는 못할 거라고.

그는 이런 식으로 그가 살고 싶은 풍경, 그가 죽고 싶은 풍경에 관해 자주 말했는데 나는 내가 살고 싶은 풍경을 단 한 번도 말하지 않았다. 내가 살고 싶은 풍경은 없기 때문이었다. 아무도 모르는 촌에 기와집 짓고 사는 얘기, 담장 하나를 사이에 두고 사는 얘기, 텃밭을 가꾸는 얘기, 경치 좋은 고층 아파트에 사는 얘기들 가운데 내가 먼저 살자고 한 풍경은 하나도 없었는데 그건 그냥 그만 있으면 될 것 같아서였다. 나는 책을 가득 넣을 수 있는 웬만한 서재와 오래 앉아도 허리가 아프지 않은 괜찮은 의자, 좋은 나무로 만든 책상, 사계절 쓸 수 있는 이불만 있으면 되고 나머지는 그만 있으면 괜찮을 것 같다. 텃밭을 가꾸는 것도, 음식을 해 먹는 것도, 물수제비를 던지는 것도 다 해도 그만, 안 해도 그만인 심심한 것들이고 오로지 그만 있어도 된다.

그는 내게서 오래된 책 냄새가 난다고 한다. 그게 무슨 냄새냐 물으면 그런 냄새가 있다고만 한다. '할아버지 냄새, 오래된 책 냄새' 나는 그가 얘기한 두 마디를 입속에 넣고 우물거리는데 아무래도 무엇인지 알 수 없다. 그는 햇빛에 바짝 말린 옷 냄새가 난다. 실제로 그의 엄마가 햇빛에 옷을 바짝 말리기 때문일 수도 있고, 그가 그런 사람이라서 그런 걸 수도 있다. 사람마다 다른 냄새가 나는 것도 사람의 성격이 다 달라서가 아닐까. 그는 실제로 살균된 것 같을 때가 있다. 때 묻지 않았다는 말보다 완전 무해 하단 말이 더 어울리는 사람. 사람이 상처받을 만한 모든 경우의 수를 생각하는 버릇, 누군가 다치는 일을 막기 위해 눈빛, 표정, 손동작까지 계산해 내는 버릇만 봐도 그렇다. 나는 그의 무해한 버릇도 좋지만 그냥 그가 먹는 게, 입는 게, 웃는 게, 걷는 게 좋은 걸지도 모르겠다.

그가 꿈꾸는 모든 풍경 속에 낄 수 있기를. 나는 그의 다정을 이해할 때마다 울었고 그의 다정이 멀리 가길 바라서 글을 쓰는 걸지도 모른다. 오로지 다정한 사랑, 남을 헷갈리게 하지 않는 투명함뿐인 사랑도 있다고 알려주고 싶어서 말이다. 내내 그와 함께이고 싶다. 그의 다정을 소문내며 살고 싶다.

우울을 이겨내는 방법 가운데 하나

이른 아침에 차를 빼달라고 전화가 왔다. 잠결에 알람 소리인 줄 알고 벨소리를 무시했다가 늦게 받았다. 아랫집에 사는 택시 아저씨의 전화였다. 아저씨는 이 동네에서 거의 첫 번째로 집을 나선다. 한 번은 오늘 같은 전화를 몇 시간이고 받지 못해 아저씨를 오래 기다리게 했다. 너무 죄송한 마음에 한 번은 전화로, 한 번은 집에 찾아가 사과드렸다. 값나가는 붉은색 망고를 선물하면서.

부산 사람은 말 한마디에 거칠고 따뜻한 게 다 있다. 아저씨는 양손으로 망고 상자를 받아 들면서 사과했으면 됐지 이런 건 왜 사 왔냐고 화를 내듯 말했다. 표정은 화가 나 있고, 품속에 망고를 가득 안고, 이러면 내가 더 미안하지 라며 집에 있던 다른 과일을 싸주는 이상한 삼박자. 이 동네 사람들은 다 그렇다. 언젠가부터는 그들이 한 편의 시처럼 보인다. 삐걱거리고, 거칠고, 어딘가 이상하지만 따뜻한 마음이 얼핏 뵈는 한 편의 시. 덕분에 이곳에서 쓴 글들은 어둡게 시작해도 좋게 끝을 냈다.

10년간 살았던 서울을 떠나 부산으로 올 때 질서 갖춰진 서울의 삶을 버리는 게 무척 겁이 났다. 아침밥을 해 먹고, 집에서 일하고, 장을 보고, 광화문에 가 커피 한 잔을 마시는 일상을 포기할 수 없을 것 같았다. 거기든 여기든 할 수 있는 일이지만 나는 서대문에 사는 게 좋았다. 경복궁까지 걸어서 15분, 경회루에 한두 시간 앉았다 집으로 걸어갈 수 있어서였다. 이것저것 포기하며 온 부산이지만 서울에 있었다면 영영 알지 못했을 것들을 여기서 배웠다. 사람이 뭔지, 사는 게 뭔지, 부대끼며 산다는 게 뭔지 하는 것들. 이곳에 오지 않았더라면 서울서 얻은 우울증은 고치지 못했을 것이다.

우울증은 지워지지 않는 멍을 붙잡고 우는 일이다. 그 시간이 계속되면 살아지니까 사는 일이 된다. 관성에 의해 대충 먹고, 대충 씻고, 대충 자게 된다. 대충이 쌓이면 빈틈이 생긴다. 이 빈틈으로 자책, 패배감, 모멸감 그런 게 비집고 들어온다. 왜 우울하냐고, 친구도 만나고 밥도 잘 챙겨 먹으라는 위로가 다 소용 없어지는 건 사실 우울증의 원인은 남이 생각하는 것보다 훨씬 정교하고, 많은 설명을 요구하기 때문이다. 내가 우울한 수백 가지 이유를 모조리 말할 수 없을뿐더러 설명할 만한 단어도 마땅치 않아 남과 얘기가 잘 안 된다. 나는 운이 좋았다. 부산에 적응하자마자 우울증이 나았다. 속 깊은 사람들만 있다면 해결될 일이었을지도 모르겠다.

　사람이 얼마나 간사한지 한때는 슬퍼서 죽을 것만 같다가 막상 안 슬퍼지니까 슬플 때가 가끔 생각나기도 한다. 잔잔한 마음으로 쓴 글이 어설퍼 보이는 것도 그런 종류다. 행복도 공부가 필요한 일이다. 어떻게 행복할 수 있을지, 이 행복에 누가 있는지, 그 누구는 어떻게 행복해질 수 있는지를 공부해야 한다. 우리가 어떻게 슬픔을 이겨낼 수 있을지 고민했던 것처럼 말이다. 애를 안 쓰고선 아무것도 되지 않는 것 같다. 이곳에서 우울증을 이겨냈던 건, 우울할 겨를도 없이 사는 사람들 때문일지도 모르겠고. 평범한 인생을 위해 노력하는 모두에게 박수를 보내고 싶다. 아픈 것도 꾹꾹 참고 애서 괜찮은 척하느라 수고 많이 했다고, 펑펑 울 줄 몰라서 안 우는 게 아니라는 걸 이제는 안다고 말이다.

잘 사는 것도 기술입니다

정도(程度). 이른바 알맞은 한도. 그런 말 있잖은가. 정도를 알아야지. 정도껏 해야지. 그 정도 말이다.

정도를 잘 아는 사람들이 있다. 갈 때와 멈출 때, 서둘러야 할 때와 여유 부릴 때, 적절한 때를 잘 아는 이들 말이다. 타고난 감각 덕분일까, 눈썰미 덕분일까, 연륜일 수도 있겠다. 그들의 선택은 밋밋한 것 같아도 괜히 눈길 한 번 더 간다. 나는 그들을 인생살이 기술자, 혹은 실력자라 부르고 싶다.

정도를 아는 사람은 선택을 현명하게 한다. 어느 날 어떤 선택을 했느냐가 많은 걸 바꾸듯 인생은 선택으로 이뤄졌고, 정도 아는 이들은 다름 아닌 선택을 잘하는 것 같다. 무작정 좋다고 따라가지 않는다. 너무 배부르지도, 너무 곯지도 않는 지점을 선택한다. 용기 없고 욕심 없어 그러는 게 아니다. 다 알아서 그런다. 눈앞에 성공이 있는 것 같아도 에둘러 간다. 성공은 자격 될 때 양심껏 누리는 게 맞아 급하면 탈 날 걸 알기 때문이다. 보기 좋은 떡은 먹기도 좋겠지만 세상에 공짜 없다는 걸 안다. 암만 보기 좋아도 의심하고 무게를 재본다. 다 못 먹을 것 같으면 덜어낸다. 먹다 체할 바에 적게 먹는 게 낫다는 걸 안다.

장사에 빗대보자. 어떤 가게는 손님이 많아 욕심내면 더 벌 수 있으면서 일찍 문 닫는다. 맞은편 가게도 함께 먹고 살아야 거리가 죽지 않는 걸 알아서다. 혼자 잘 살면 용심 사고 미움 살 것도 알고 있다. 돈 많아도 용심 사면 좋지 않은 줄 안다. 바보라서 돈 덜 버는 게 아니라 부러 참고 같이 벌 생각이다. 장사만 그럴까. 학교, 사업, 회사, 어디든 정도 아는 이들이 있다. 그들은 운 좋고 일등 되는 법 알아도 나눈다. 그런 사람은 언젠가 일등 됐을 때, 누구도 용심 안 내고 박수받을 수 있다. 사람은 도와주고 나눠준 사람 못 잊어서다. 이쯤 되니 그들이 영리한 게 제법 티 난다.

요즘은 정도 지키는 사람 보기 힘들다. 과열되고 빨리 식는다. 유행이 빠르게 변하는 것과 같다. 재빨리 돈 벌어 놀고먹는 게 낫고, 준비 덜 돼도 덤비고 본다. 좋은 것 같으면 시작한다. 준비되지 않은 성공에 욕심내고 후회한다. 오히려 정도 지키는 사람이 꼰대 소리, 바보 소리 듣는다. 사실 바보는 그들이 아니다. 과열을 두

미미에게

려워하고, 욕심을 경계하고, 분수에 맞는 선택을 하는 건 무엇에도 휘둘리지 않는 자기 줏대가 있어야만 가능한 일이다. 정말 영리한 사람은 대세를 따르는 사람이 아니라 줏대가 정확해 빈약하지 않고, 신중하게 살며, 어느새 흠잡을 게 없어 절로 반짝이는 사람이다.

나는 아무튼 열심히 하겠다고 하는 사람이었다. 그러면 미미는 열심히 하지 말라고 한다. 한 번 몰입하면 과열되고, 체력 딸려 금세 식는 내 성격을 미미는 잘 알았다. 무작정 달리는데 힘을 쏟다가 미미 덕분에 나만의 정도와 속도에 관해 배웠다. 미미가 그런 사람이어서다. 누군가 갈 길을 알고, 분수에 안 맞는 욕심이 불러올 화를 보고, 조금 멀지만 나서야 할 때를 예측했다. 미미가 만신 소리 듣는 것도 이런 이유일 것이다. 조금 느려도 에둘러 차곡차곡 가야만 하는 게 인생이라고 미미가 그랬다.

정도 지킬 줄 아는 사람 되려면 필요한 것, 분주한 마음 버리기다. 과속하면 위험도 높아지듯 인생도 마찬가지다. 그건 분명 나와 남을 비교함으로써 시작됐을 것이다. 비교는 우리의 노력과 인내를 지우고 결과만 조명한다. 갑자기 내가 우스워 보인다. 노력 없는 성공, 자격 미달 성공도 피해야 한다. 성공은 공짜가 아니라서 의무 다했는지 검증하려 덤빈다. 또박또박 절차 밟아 궤도에 오르지 않으면 언젠가 탈 난다. 성실히 사는 수밖에 없다. 사기꾼 판쳐도 언젠가는 벌 받는다. 지루하고 고단해도 성실히 시험 통과한 사람이 누릴만한 결백한 성공이 있다. 그만한 보상이 어딨을까. 그런 보상은 누구 하나 입 뗄 수도 없다.

중간, 균형, 유지, 그런 거 힘들다. 지키고 따질 거 많다. 욕심내서 몸 버리면 돈 더 벌 수 있고, 안 그러자니 뒤처지는 것 같다. 그러나 삶의 균형을 잃지 않는다면 누구 하나 입 뗄 거 없이 성공할 때 오는 거 사람들이 알았으면 좋겠다. 인생은 축적된 인내나 경험치, 내게 걸쳐진 다른 이의 삶이 합쳐져 나아간다. 운과 기술 좋다고 능사가 아니다. 자, 다음 주자는 누가 될까. 누가 결백하게 반짝일까. 양심에 반하지 않고, 묵묵히 참고 견딘 시간을 멋지게 보상받는 사람이 바로 당신이었으면, 혹은 당신과 당신의 누군가였으면 좋겠다. 그 보상은 무엇과도 견줄 수 없다고 감히 말해본다.

두통엔 하얀 띠

열이 39도를 웃돌던 열병을 앓았을 때 얘기다.

몸을 일으키면 머리를 깨뜨리는 통증이 몰려왔다. 머리를 움켜 잡고 침대 위를 구르며 울었다. 어떻게든 이겨낼 거라고 이틀간 무식하게 굴다가 병원에 갔다. 링거 주사 한 방에 온몸이 침대 속으로 녹아드는 것 같았다. 진작 병원에 올 걸, 괜한 고집을 부려서는. 열은 며칠간 오르내리며 기승을 부리다가 링거 주사를 한 번 더 맞고 나서야 숨을 죽였다. 딱 일주일을 누워 지냈다. 아픈 데는 장사가 없었다. 세상일은 어떻게든 해결할 수 있다지만 아픈 건 아니라고 다시 한번 배웠다.

매일 동틀 때와 해 질 무렵에 순자가 왔다. 순자는 이 동네에서 가장 부지런했다. 매일 새벽께 여는 떡집을 십 년도 넘게 했으니까 순자의 부지런함엔 증거가 확실했다. 순자는 가게를 열기 전에 우리 집에 들러 머리를 만져줬고 밤에는 깨죽을 쒀서 왔다. 두통 앓히는데 특효라며 이마에 하얀 띠도 매줬다. 매일 새벽 4시에 집을 나서서 저녁 7시가 되어서야 집에 오는 순자가 우리 집에 들러 머리를 매만지고, 띠를 매주고, 깨죽을 갖다주려면 그 대단한 성실함을 조금 더 보태야 했고, 그걸 아무렇지도 않게 해내는 걸 보면 병이 달아날 수밖에 없었다. 순자는 대단한 사람이었다. 감기가 다 낫고 보니 링거 주사나 병원 약보다 순자의 덕분에 나은 거라고 번쩍 떠올랐다. 애당초 혼자 이겨내겠다고 고집을 부리던 걸 병원에 보낸 것도 순자였다.

순자는 사람을 상대할 때 가면을 쓰지 않았다. 남들 다 마다하는 일을 하자면 억지웃음도 짓고, 뒤에서 욕할 법도 한데 그럴 줄 몰랐다. 뭐든 하면 그만이라고 대충 잊어버렸다. 베푸는 어른은 정확히 순자를 가리키는 말이었다. 순자는 나이가 들수록 더 잘살 것 같았다. 쭈글쭈글하고 새까만 할머니가 되어도 친구가 많을 것 같았다. 살아있는 건 나이 들수록 세상에서 지워지기 마련이건만 여전히 누구나 순자를 좋아하고 순자를 찾으니까. 순자의 도움을 잊지 못하니까. 순자는 좋은 어른이었다. 누구에게나 좋은 어른으로 기억되는 것만큼 어려운 일도 없다. 순자가 마다하지 않은 일만큼 순자는 오래오래 행복하게 살 것이다.

내가 순자 나이가 되었을 땐 두통이 심한 머리에 하얀 띠를 매주거나 깨죽을 쒀 오는 어른은 다 사라졌을지도 모른다. 시간이 흐를수록 순자의 처방은 제법 어리석고 무모하다는 얘기를 들을 것이다. 하지만 사람들은 새벽 4시에 일터에 가면서도 아픈 사람에게 한 번 들렀다 가는 정성은 그리워할 것이다. 신기술이 발전해 나날이 편해져도 근사한 어른의 한 방을 당해낼 수 없을 테니까. 남을 생각하는 어른이 되는 건 큰 용기가 필요한 법이다. 지위나 명성을 위한 욕심보다 함께 살아보겠다는 마음이 더 큰 부담을 지우기 때문이다. 근사한 어른이 사라지지 않았으면 좋겠다. 다 같이 잘 되겠다고 마음먹는 어른 말이다.

날씨 요정

단 한 줄도 적지 못할 때가 있다. 생각이 많아서, 쓰는 문장마다 볼품없어서, 갖은 이유가 따라붙지만 단지 뭐든 말이 안 될 것 같을 때가 있다. 나는 그럴 때 게임을 하거나 가만 드러누워 있는데 시간이 지날수록 더욱 바보가 되는 기분이다. 무슨 말을 해야 할지, 어떤 표정을 지어야 할지 모르겠고 마음껜 알 수 없는 덩어리만 가득한 기분. 슬픈 것도, 우울한 것도 아니고 화가 난 건 더욱 아니지만, 기분이 썩 좋지도 않은 애매한 불안 말이다. 어디서 오는지, 왜 왔는지도 모르고 나를 잠식하는 것도 아니지만 떠나지도 않는 기름 막 같은 녀석이다.

오늘은 비가 오고 우박이 내렸다. 살면서 우박을 몇 번이나 봤을까-생각해 보면 이번이 세 번째인가 네 번째인가. 콩 벌레 같은 얼음이 마구 떨어질 때, 하늘에서 큰 얼음덩어리가 떨어져 간판이

박살 났다는 뉴스가 생각나 차가 있는 곳까지 부리나케 뛰었다. 애매한 기분은 우박을 보고서부터 생긴 것 같다. 운전석에 앉아 앞 유리로 쏟아지는 얼음들을 보면서 나는 휑뎅그렁한 사막 속에 혼자 버려진 것 같았다. 얼음이 쏟아지는 소리가 낯설어서였을까, 다니는 사람 하나가 없어서 그랬을까, 바람 소리가 컸기 때문일까.

날씨가 마음을 들썩일 때, 나는 그때가 잦다. 날씨가 좋으면 미움도 원망도 다 용서되고, 날씨가 흐리면 동굴 속에 웅크려야 한다. 비가 오는 눅눅한 날엔 몸을 둥그렇게 말고 글을 써야 하고, 까딱 천둥이라도 치면 그날은 읽고 쓰느라 자지 못한다. 사람 마음은 간사하고 유약해서 이깟 날씨 하나에도 휙휙 바뀌고, 미움이나 원망은 더 힘이 없어서 좋은 날씨에 다 사그라들기 마련이다.

십수 년 만에 본 우박 탓에 종일 속이 쓰린 건 내가 날씨에 취약한 사람이기 때문인지, 우박이 마법이라도 부린 건지 알 수 없지만 사람은 자꾸 날씨에 진다는 건 알 것 같다. 소란한 날씨가 불러온 습한 마음은 날이 개면 괜찮아질 것이고, 노을이 아름답게 번지는 하늘을 보면 미움도 원망도 다 사그라들 것이다. 불행한 마음은 처음부터 아무 힘도 없었던 게 아닐까. 설령 날씨가 개지 않아도 시간이 흐르면 다 잊어버릴 마음이잖은가. 원망할 시간이 없는 것 같다. 모두가 자꾸만, 자꾸만 괜찮아지면 좋겠다.

모사꾼들

사람들은 남의 옷을 잘 훔쳐 입었다. 누가 누구 글을 따라 했다더라, 표절했다더라, 느낌이 비슷하다-같이. 도난 사건의 규모는 제각각이었다. 대대적인 표절 시비가 붙어 이름을 알린 사건이 있는가 하면, 직장이나 친구, 가까운 사람 사이에서도 번번이 있었다. 이상하게 나를 (혹은 누군가를) 따라 하는 듯한 느낌을 받을 때가 있잖은가. 정확한 증거가 없어 묻고 따질 수는 없지만, 언제부턴가 표정, 몸짓, 생각 등이 어디서 많이 본 것 같아진 그거. 대놓고 따라 하자니 들킬 것 같고, 따라 하지 않자니 가져야 할 것을 가지지 못한 것 같은 착각에 모사 대상의 어중간한 어디쯤을 입어버리는 거 말이다.

미미는 그들은 '따라 한다고 생각하지 않는다.' 고 설명했다. 급작스레 바뀐 모든 게 나 따라 해요-라고 말해주는데 어떻게 스스로는 모를 수 있냐고 묻자, 미미는 그들은 원래 자기 거라고 생각한다고 했다. 누군가의 이미지가 좋아서, 말투가 예뻐서, 글이 좋아서, 작품이 근사해서, 뭐가 됐든 멋져서 가슴을 두드렸다면 원래 그게 내 안에 있던 거라고 믿는단 거다. 생각해 보면 모든 표절은 이렇게 시작되는 것 같다. 그러나 이들의 문제는 모사를 인정하지 않는다는 거다. 보기 좋은 떡을 놓치고 싶지 않은 욕심에서 거나, 텅 빈 자아를 모른체하고 싶은 마음에서 거나, 이게 원래 나라는 듯 바득바득 우기는 모양새가 된다.

그들이 모사 대상을 보고 스스로도 그런 사람이라고 믿는 이유는 분명하다. 자신도 그런 사람이고 싶어서, 그들의 근사함을 대적할만한 무기가 자신에게는 없는 것 같아서, 그러나 패배감을 느끼기는 싫어서. 사람은 각자의 시간을 축적해 서로 다른 이미지를 지니지만 그들은 자기 자신에 대해 고민하지 않는다. 이미 자신을 잘 안다고 믿거나, 마주할 용기가 없기 때문이다. 나는 마주할 용기가 없는 사람보다 자신을 잘 안다고 믿는 쪽이 더 위험하다고 본다. 그들은 훔쳐 입는 게 버릇이 돼서 스스로가 누구인지 거의 잊어버렸다. 스스로가 잘났다는 감정만 남아서 누구의 말도 듣지 않는다. 그때그때 좋아 보이는 것들을 걸치고 들쭉날쭉하게 살다가 과거의 나와 현재의 내가 이어지지 않아 스스로가 누구인지 제대로 설명할 수 없으면서도, 어쩌다 자신의 진짜 모습을 마주할 때 온 세상이 쓰러지는 기분을 느끼면서도.

나는 그들을 나무랄 수 없다. 사람 사는 방식이야 제각각이니까. 그러나 그들에게 옷을 도난당한 이들의 억울함을 나 몰라라 하기 싫을뿐더러 그들이 스스로를 잃어가는 모양새가 안타까울 뿐이다. 누구나 주어진 인생이 있다. 맹렬한 운명론자는 아니지만 내가 본 세상은 그렇다. 누구나 잘하는 게 있고, 운이 드러날 때가 다르다. 누구나 승승장구할 때를 기다리며 인고의 시간과 싸워야만 할 뿐이다.

'그들은 따라 한다고 생각하지 않는다. 원래 자기 거라고 믿어버린다.' 미미의 말을 이해하기까지 퍽 오랜 시간이 걸렸다. 자기 거라고 믿는 사람의 뻔뻔함을 알 수 없어서, 표절한 삶이 지닐 숙명이 서글퍼서. 미미는 그들에게 뭐라고 해줬을까. 내가 아는 미미라면 다음과 같이 말했을 것 같다. 세상이 좋아진 덕에 누구든 편의를 누리고 산다고, 그런 탓에 똑바로 살 필요가 딱히 없어졌다고, 똑바로 살지 않아도 얼마든지 편의를 누릴 수 있는데다 비약하자면 사기를 쳐도 돈만 있으면 된다는 심보라고. 심지어는 사기꾼도 스스로가 사기꾼인 줄 모른다고.

나는 한 가지만은 유구히 확신할 수 있다. 빼앗긴 사람은 안다는 유리알 같은 사실 말이다. 그들 자신은 어떻게 자신이 되었는지 모든 시간을 기억하기 때문이다. 그 기억은 정확해서 누가, 어느 부분을 훔쳤는지도. 증거가 없는 도난 사건의 결말은 어떻게 될까. 모

든 게 자기 자리로 돌아갈 날이 언젠가는 올 거라고, 제 눈을 가려
도 하늘은 가린 게 아니라고 제법 과감한 말을 해본다.

네가 어디에서 왔는지

미미는 함께 밥을 먹는 사람을 식구라고 했다. 달리 식구가 있는 게 아니라 함께 밥을 먹으면 그만이라고. 식구가 한자로 밥 식, 입 구를 쓰기 때문이란다. 나는 어렸을 적부터 나와 살아서 이십 대 내내 혼자 밥을 먹었고, 28살이 되어서야 누군가와 함께 먹기 시작했다. 바로 미미와 그의 가족들이었다. 마음씨 좋은 미미는 온 가족이 모여 밥을 먹을 때마다 내가 불편해하는지 확인했다. 식구는 거기서 나온 말이었다. 같이 밥 먹었으니까 우린 식구라고, 불편해 말라고….

밥 식에는 밥, 음식, 제사, 벌이, 생계, 등등의 뜻이 있어서 식구는 함께 밥 먹는 사람뿐만 아니라 함께 생활하는 사람, 함께 버는 사람, 여러 뜻으로 쓰일 수 있었다. 미미가 말한 식구는 내 세상에서 갖은 힘이 생겼다. 미미랑 함께 생활하고, 같이 벌고, 같이 먹는 사람이 된 것 같아 든든했다. 어떤 말은 숨은 뜻이 무궁무진해서 한 번 더 곱씹을 필요가 있다. 들었을 때보다 멀리 닿아 자꾸 살아가게 한다.

내 이름 한자는 미미가 정해줬다. 나는 열여덟에 혼자 이름을 바꿨고 제대로 된 한자를 정해놓지 않고 살았다. 스물네 살에 미미를 처음 만났고 미미는 한자가 중요하다며, 그 뜻이 무어냐에 따라 바뀌는 게 인생이라며 한자를 골라줬다. 다스릴 윤, 도울 우. 처음 들었을 땐 뭐든 다스리면 근사한 줄 알았고, 뭐든 도우면 되는 줄 알았다. 고작 그런 게 아니라는 건 나이를 더 먹고 알았지만. 이름 쓸 때마다 미미 생각이 난다. 미미도 내 이름을 부를 때마다 지어줬을 때를 생각할 것이다. 이름을 쓰고 부를 때마다 서로가 생각나는 건 정말 식구가 돼서 그런 걸 수도 있다. 내 이름, 다스리고 도우라는 뜻 너머에는 내 마음을 다스려야 누군가를 도울 수 있다는 미미의 깊은 뜻이 숨어있는 것 같다고 요즘 생각한다.

사람 사는 곳에도 뜻이 있다. 산이 가마솥을 엎어놓은 모양이라 부산, 냇물이 마르지 않아서 분천. 생김새에 따라, 역사에 따라 뜻 있는 이름 되어 불린다. 사람도, 사는 곳도 다 이름이 있는 건 잊지 말라고 그런 게 아닐까. 어떻게 만들어졌고, 이 이름으로 무엇을 했고, 잘 간직해서 세상에 알려주라고. 온갖 것과 더불어 사는 가운데 내 이름이 있다는 건 세상에 꼭 필요해서 그런 것 같다. 언니가 내 이름을 지을 때, 무엇을 다스리고 무엇을 도울지를 생각했듯 다른 누군가의 이름도 누군가의 정성과 바람이 들어있을 것이다. 그런 바람이 담겼다면 세상에 꼭 필요할 수밖에.

좋아하는 것들을 불러본다. 책, 나무, 종이, 칼, 호두, 사탕. 왜 이렇게 불리는지 따져보면 다 이유가 있는 것들. 세상에 불리고 쓰이게 된 것들 가운데 아껴줄 수 없는 건 없다. 그렇게 불리는데 다 뜻있는 것들이니까. 우리도 마찬가지일 것이다. 그렇게 불리는 이유를 따져 묻자면 누구든 귀중할 수밖에. 누구든 귀히 불리고, 귀히 쓰이기를. 누군가의 식구로서, 누군가의 벗으로서 내내 든든하기를.

우리는 어떻게 무속인 되었나 1

나는 보편적인 무속인의 모습과는 거리가 있다. 굿판에서 천황(노래나 춤을 부리는 일)을 잡지도 못하고, 방울을 들지도 않는다. 며칠 전 독자 중 한 분이 점 보러 오셨는데 무속인 맞으시냐-고 물었다. 법당과 탱화가 있고, 손님 맞아 점도 본다만 '무속인' 하면 떠오르는 이미지와 다른 모양이다.

나는 대학 3학년 2학기 마치고 신 받았고, 몇 번 휴학 끝에 무속인 2년 차에 졸업했다. 그때도 무속인이 대학생이라서, 어떻게 무속인 됐냐 질문 더러 받았는데 오늘에야 정리해 본다. 어쩌면 무속인에 관한 세상 관념에 흠집 내는 얘기가 될 수도 있겠다.

나는 경주 이씨 월성군파 45대손이다. 정확히는 경주 이씨 월성군후 용재공파라 하겠다. 우리 집안 시조부터 따지면 너무 먼 과거로 흐르고, 나의 아버지는 월성군후 용재공파의 출발점인 용재 이종준 선생을 극진히 말씀하셨다. 중시조 용재 이종준 선생은 나로 따지면 17대 조부가 된다. 이분은 조선 학자 김종직의 문하에서 수학해 영남 사림파 중 한 분이셨는데 23세 사마시 합격, 33세 문과 급제, 40세 사헌부 지평, 41세 의성 현령과 의정부사인에 이른다. 그러나 1498년 무오사화 때 김종직의 문인으로 몰렸고 귀양 가는 도중 마곡역에 연산군을 원망하는 시조를 써 붙였다는 혐의로 국문을 당하고 돌아가신다. 이후 홍문관 부제학으로 추증된다.

아버지는 내게 경주이씨 월성군파, 혹은 용재공파라 가르치며 집안 대대로 내려온 학맥에 관해 자주 얘기했고, 용재공 이종준 선생에 이어 나의 6대 조부인 만오공 이상현 선생에 대해서 강조했다. 만오공 이상현 선생은 조선말 고종 집권 시기 영의정을 지낸 귤산공 이유원의 친척이자 벗으로, 선인들의 문집을 재편찬하고 학문과 인격 수양을 강조하며 [만오공일고] 라는 문헌을 남기셨다. 당시 만오공 이상현 선생의 수학량이 대단하고, 선비 됨을 전파한 고을 유지쯤 되었으니 우리 집과 일가친척은 이분을 높이 살 수밖에 없었다. 때문에 6대 조부이신 만오공 이상현 선생과 5대 조부, 4대 조부 때 고서들을 아직 간직하고 있다. 이 고서들은 전부 나의 손에 있다.

그리하야 학문에 정진해 후학 양상에 힘쓴 집안 명맥답게 무속인 나오면 이상하게 생각했다. 나는 몸 아프고 정신 아파도 우리 집안에 무속인 나오는 게 말 되냐는 아버지 성화에 골골 앓아가며 몇 해를 버텼다. 그도 그럴 것이 아버지도 동네 유지쯤 됐고, 집안에 공부 못하는 사람이 없어서 우리 집에서 무속인 나왔다면 사람들 다 이상하게 볼 일이었다. 물론 난 아니다. 나는 무속인 통과 치레 거하게 치렀다. 몸 아프고 정신 아파 패악질 부렸고, 정신 잃고 길에서 쓰러졌다. 말하자면 집안 골칫덩어리였다. 나는 무속인 되고 집안 돌보고 말 잘 듣고 바르게 살아서 과거에 아팠던 게 정말 신병이라는 걸 다 보여줬다. 때문에 사람들은 날 믿지 않을 수 없었다. 또한, 학자 명맥 잇는 집안에서 어떻게 무속인 나오냐는 사람들 의구심에도 반격할 수 있다. 이 자리가 고마울 따름이다.

나는 나의 5대 조부를 대신으로 모시고 점을 본다. 이분은 나 신 받는 날, 우리 집은 학자요 선비니 방울과는 거리가 멀다. 방울 들 일은 없다. 다만, 내 팔자가 신 받지 않으면 일찍 죽고, 당신은 살아생전 학문에 정진하며 사주와 풍수지리도 잘 보셨으니 학문으로 점 볼 수 있다 하셨다. 그게 내가 방울 안 드는 이유다. 그렇다면 보통 무속인은 윗대에 무속인이었던 분이 계셔야 후손도 한다는 사회적 통념이 있는데 대대로 학자 집안에서 어찌 무속인이 나왔는지, 무속인에게 신이 어떻게 오게 되는지, 여러분이 의문 가질만한 내용에 관해 정리가 필요할 것 같다. 앞으로의 글을 주목해주길 바란다.

이건 나의 얘기이자 여러분의 얘기다. 왜냐고. 나는 내 글 읽는 사람 가운데 윗대 조부들이 선비로 양반으로 후학 양성에 힘쓴 집 자식들 많은 걸 안다. 당신들이 나처럼 신 받고 살 팔자는 아니라도, 당신 집안과 우리 집안은 분명 닮은 데가 많을 것이다. 그래서 나의 얘기이자 당신의 얘기인 것이다.

*무진년(戊辰年)에 서울과 시골에 있는 족친들과 의논하여 종중선배(宗中先輩) 여러분의 금석록(金石錄)을 닦으니 귤산상공(橘山相公) 유원(裕元) 씨가 실상은 그 일을 주관하였으나 문헌(文獻, 족친 선현의 글)을 모으고 찾는 일은 공에게 위임하니 공이 종친가(宗親家) 여러 집을 두루 상고하여 빠짐없이 모아서 책 열 권[十卷]을 만들고 한 질[一帙]씩 두루 나누어 간직하게 하였다.

[만오공유사]에서 발췌.

우리는 어떻게 무속인 되었나 2

무속인의 첫 번째 조건은 신이 있는지다. 국가 성립조건 세 가지 국민, 영토, 주권인 것처럼 무속인도 성립조건이 있다. 첫 번째가 신이 있는지다. 무교(巫教)는 유일신 한 명이 아니라 성격 다른 여러 신이 있다고 본다. 신들의 종류가 많아 무속인의 명패도 제각각이다. 누군가는 할머니, 누군가는 선녀, 누군가는 동자. 그러나 무속인은 그분들만 모시지 않는다. 명패에 선녀가 들어간다 해서 선녀만 있는 게 아니다. 무속인의 명패는 모시고 있는 신 중 가장 앞서 나오는 신, 즉 주장 신을 뜻한다. 주장 신은 가장 앞서고 가장 많이 나오는 신일 뿐이다. 무속인은 명패 제각각이지만 [대신 할머니]가 무조건 있어야 한다. 대신 할머니는 무교(巫教)에서 점 보는 신명의 대표주자 격이다. 주장 신과 별개로 무속인은 필시 대신 할머니가 있다.

대신 할머니는 무속인의 조상이다. 무속인의 윗대 할머니 중 한 분이다. 살아생전 무당으로 불리셨거나, 기도에 통달해 혜안이 있거나, 돌아가신 후 신으로 후손 몸에 내려와 잘 살게 해 줄만큼 힘이 있어야 한다. 이 대목에서 짚는다. 나는 대신 할머니가 없다. 우리 집은 살아생전 무속인 한 조상이 없기 때문이다. 그러나 내 5대 조부가 대신 할아버지로 앉아 계신다. 정확히는 글문 대신 할아버지다. 이분이 살아생전 학문에 정진했고, 사주나 풍수지리에 통달한 격이 여느 대신 할머니 점사 실력 못지않다. 대신 할머니가 아닐 뿐이지 같은 대신의 역할을 하는 대신 할아버지다. 그래서 대신 할머니 없어도 지금껏 가능했다. 때문에 나는 점 볼 때 사주를 받는다. 대신이 사주를 보기에 사주를 받는 격이다. 같은 맥락으로 지금껏 여러분이 모든 글도 나의 글문 대신 할아버지가 있어서 쓴 글이다. 이분이 살아생전 사주와 풍수를 볼 줄 알아 점 보는 것처럼, 살아생전 학문에 정진하고 글을 쓰셔서 쓸 수 있는 이치다. 무속인 몸에 신이 실려 정신없이 점 보듯, 나의 글도 그런 식으로 쓰이는 셈이다.

무속인의 조건이 신이고, 그들이 살아생전 조상이었다면 어떤 조상이 신으로 올 수 있는가. 생전에 무속인이었다고 무조건 신으로 올 수 없다. 조상 중 후대 무속인 만들 정도면 보통 대단해야 하는 게 아니다. 한 번 무속인은 평생 무속인이다. 평생 가는 무속인 삶에 단 한 줌의 오차도 없어야 하는데 무속인 보호하는 신은 얼마나 힘 있어야 된단 말이겠는가. 신으로 오는 조상은 살아생전 대단히 불렸거나, 남들은 엄두 못 낼 기도를 수십 년 했다거나, 도가 트고 수학량이 대단해 남들과는 비교도 못 할 인재여야만 한다. 보통 깨끗하고 똑똑하고 영검한 게 아니란 말이다.

근데 그런 조상이 어디 흔한가. 그런 사람 안 흔하고 그런 조상 안 흔하다. 그런 조상 안 흔해서 세상에 무속인 많으면 이치에 안 맞는 거다. 물론 모시는 신이 조상에서 온 게 아니라, 일절 연고 없는 천상에서 오는 경우가 있으나 그런 경우는 무속인 천 명 중 한 명도 안 될뿐더러 사는데 제약이 많아 그 존재를 사람들이 헤아리기 어렵다. 지금껏 올렸던 시리즈 [미미에게] 미미가 이 경우다. 미미의 대신 할머니는 조상에서 오시지만 미미의 선녀가 연고 없는 천상 선녀다. 일전에 미미 모친을 주제로 한 글에서 말한 적 있다. 천상에서 신이 오려면 미미 모친이 십 년 빌고, 삼천 배 백 번도 더 했듯 집안에서 치른 공이 그쯤 되어야 한다. 천상에서 연고 없는 신이 오는데 그 과정이 쉬울 수 있겠는가.

보통 힘 있는 게 아닌 조상이 대신으로 들어왔다면 (혹은 천상에서 왔다면) 다음 조건은 사람이다. 사람이 무속인 그릇 되는지 봐야 한다. 우선 무속인 팔자는 명이 짧다. 나만 해도 팔자에 사고가 많아 이 길 오기 전 안 다친 곳이 없다. 나뿐만 아니다. 무속인 나와야 할 집은 누군가 신 받지 않으면 우후죽순 폐허 된다. 무속인은 신을 받아 한 집안을 살린다. 그 막중한 책임을 누가 질 것인지 신은 신병을 일으켜 알아본다. 신병이 일고, 집안이 망가져도 누가 신의 잃지 않고 살아남는지 지켜본다. 마지막의 마지막에 살아남는 게 곧 무속인 그릇이다. 사람들은 이 대목에서 신 나쁘다고 한다. 바람 내지 말고 그냥 살게 두면 안 되냐 묻는다. 다시 한번 말하지만 무속인 나올 집안은 누구 하나 신 받지 않으면 다 죽게 돼 있다. 제각기 그런 팔자 타고나서 신이 나선다. 신은 단단한 한 사람 속세 밖으로 내몰고서라도 이 가정 살리고 싶다. 또한, 명 짧은 자손 무속인 만들어서 오래 살게 하고 싶다.

나는 집안 대대로 학자 명맥 이은 가운데 내 5대 조부가 글문 대신으로 들어온다. 집안 학자 명맥을 초석 삼아 조상이 대신으로 들어온다. 살아생전 무속인만 대신으로 오는 게 아니라, 공부에 통달했고 학맥 깊어도 대신으로 올 수 있음을 보여준다. 다만 흔하지 않을 뿐이다. 학맥 깊음과 동시에 5대 조부가 사주와 풍수에 통달해 가능한 격이다. 누군가 이 할아버지의 유지를 받들어 모시며 글을 쓰거나 점 봐야만 집안 풍파가 없다. 우리 집안 사람들은 이 사실을 알고 있고, 그중 명 짧고 젊은 내가 모셨다. 정리하자면 조상 중 무속인 없어도 조상 힘이 대단해 대신으로 들어오고, 이를 모시고 살아야 할 게 우리 집 사례다.

자, 중요하다. 나의 사례로 미루어 보자. 세상에 조상 힘 있는 집이 우리 집뿐이겠는가. 1화에서 말했듯 양반이나 선비 집 자제 많고, 하물며 누군가는 무속인을 조상으로 뒀을 텐데 그들은 왜 신 안 모시나. 세상에는 무속인 될 건 아닌데 신 있는 경우, 무속인 될 건 아닌데 빌고 살아야 할 경우가 있다. 혹자는 점집 가면 빌고 살아야 해 - 같은 얘기를 들은 적 있을 것이다. 역시 여기에 해당된다. 세상은 넓다. 무속인 몇 명만 고작 신 있으란 법 없다. 세상에 운 있고 우연 있는 이치를 보라. 인간은 운에 기대고 운을 느끼는데 어찌 무속인만 신 있겠는가. 다만 그들의 신이 모셔서 점 볼 신이 아닐 뿐이다. 그들 이야기로 계속 이어가 보자.

우리는 어떻게 무속인 되었나 3

　우리 집 조상 중 무속인 없고, 평생 학문에 정진하며 사주나 풍수지리에 능한 5대 조부가 대신으로 들어오고, 나는 이분의 유지를 받들어 글도 쓰고 점도 보는 이치라는 얘기를 마쳤다. 이제 우리 집과 비슷하게 양반이나 선비를 조상으로 둔 사람들이 있고, 하물며 무속인을 조상으로 둔 사람들이 있을 텐데 그들은 왜 신 모시지 않느냐는 얘기, 무속인 될 게 아니라도 신이 있는 보통 사람들에 관한 얘기를 이어 가려고 한다.

　전 편에서 인간이 신을 받아 점을 보려면 대신이 있어야 된다고 했다. 선대가 양반이나 선비라도 나처럼 대신으로 오는 경우는 드물다. 조상이 대신으로 들어오려면 살아생전 얼마나 웅장하고 대단하게 살았느냐도 따질 수 있지만, 죽고 나서 대신으로 올 만큼 얼마나 공부에 매진했느냐가 요점이기 때문이다. 무교(巫敎)에서 사람은 사후 벌 받으러 지옥 가거나, 소멸하거나, 신 또는 인간으로 환생키 위한 공부를 하게 되는데 그 공부가 험준해 대신이 되어 후손 무속인 만들 만큼 하기 쉽지 않다. 따라서 살아생전 무속인인 조상이 있다고 하더라도 그분이 사후 대신으로 들어올지는 미지수라 후손이 꼭 무속인 되리란 법 없는 거다.

그렇다면 대신만 신인가. 그렇지 않다. 살아생전 양반이나 선비였던 사람은 사후 공부하면 보통 대감 신으로 들어온다. 대감 신은 대신으로 앉아 점을 볼 수는 없지만 후대의 재산을 불려주거나 명을 늘려줄 수 있다. 살아생전 양반이나 선비뿐만 아니라, 거상, 장사꾼, 의원, 말하자면 당신의 직업 분야에 특출나 명예나 돈 있던 조상이 대감 신으로 곧잘 들어온다.

대감 신 있는 집안은 대감 신을 모실 수 있다. 대감 신은 점보는 능력이 없어 모신 이가 무당이나 무속인 되는 게 아니다. 모셔도 법당을 차리는 게 아니라 작은 함에 대감 옷을 넣어 장롱 위에 올려 두는 형식이다. 비슷한 갈래로 세준 신이 있다. 세준 신, 일명 세준 할머니는 살아생전 집안의 평안과 안녕을 빌었던 조상이다. 죽어서도 집안의 평안과 안녕을 비는 이 조상은 후대에 세준 할머니로 들어온다. 세준 할머니로 들어오는 조상은 보통 위로 4대다. 고조 뻘이다. 세준 신은 단지에 쌀을 넣어 장롱 위에 올려 두는 식으로 모신다. 이름도 유명한 신줏단지가 바로 이 단지다.

신이 있어도 무당 안 되는 이들은 이러한 신들이 있다. 세준 신이나 대감 신이 인간 뒤를 따르는 격이다. (때때로 장군이나 선녀, 동자가 있는 일반인도 있으나 그들 애기는 나중으로 미룬다.) 이들은 앉아서 점 볼 신, 즉 대신이 아니기 때문에 한 집안을 뭉갤만한 풍파를 일으키진 않으나 후손이 명이 짧거나, 집안이 안될 것 같으면 일찍이 크고 작은 신병을 일으켜 앉혀달라 촉구한다. 이들이 일으키는 신병은 가정에 불화가 생기거나, 돈이 모이지 않거나, 누군가 계속 골골거리거나 하는 식이다. 외에도 천차만별이다. 대신이 들어오는 집은 신병으로 집안을 휩쓰는 풍파가 분다면, 이들은 그보다 약한 풍파가 인다고 생각하면 된다. 대감과 세준 신 둘 다 집안의 복록과 후손의 명을 담당하는 신으로 누구보다 후손의 안녕을 빌기에 크고 작은 신병을 주고서라도 앉혀달라 애원한다.

내 친구 중 세준 할머니 모신 이가 있다. 민규다. 민규는 이십 대 후반에 세준 할머니를 모셨다. 민규의 세준 할머니는 민규 위로 4대 조모다. 이분으로 말할 것 같으면 살아생전 기도를 많이 하셨고, 돈을 벌어 한 집안을 세운 분이다. 때문에 세준 신이자 금전을 틔워줄 수 있는 재물신의 역할로 들어올 수 있다. 앞서 민규에 관한 글에서 얘기했듯 민규는 명이 짧고 애가 많은 팔자인데 이분을 모시고 살며 명을 늘리고 애를 막는다. 민규네 집안이 사업으로 크게 된 집이나 세준 할머니가 신병 일으킬 때마다 몇 번씩 휘청거리곤 했는데 민규 녀석이 할머니 모시고는 온 식구가 잠잠하게 사업

잘된다.

　이렇듯 신이 있는 집안, 살아생전 명예나 부가 있고 사후에도 공부한 조상이 신으로 들어오는 집안은 그 조상신의 생전 모습을 따르면 복록이 있다. 나는 5대 조부 살아생전처럼 글 쓰고 사주 보며 잘 살고, 민규는 4대 조모 생전처럼 기도하고, 사업하며 잘 사는 것처럼 말이다. 네가 유심히 지켜보는 작가 중 한 분은 글 쓰는 폼새가 예사롭지 않고, 들여다보면 윗대 벼슬했던 먼 조부가 글문 대감으로 따라다닌다. 그분 본업은 회계사고 아침마다 글을 쓰시는데 글이 딱 여느 글문 대감이 쓴 체다. 글문 대감은 대감 신 중에서도 학문과 글을 관장한다. 그가 글을 잘 잘 쓰는 것도 그에게 있는 글문 대감 할아버지를 모르는 새 닮아 그렇다. 우리 주변에 이런 사람 많다. 계속해보자. 다음은 미미와 또 다른 친구다.

우리는 어떻게 무속인 되었나 4

    신이 있으나 무당 안 되는 일반인들 얘기를 썼다. 민규가 사업하지만 세준 할머니 모시고 일하는 것과 닮은 친구가 한 명 더 있다. 그는 이름 밝힐 수 없지만 이전 글에 언급한 대감 신을 모시고 있다. 그는 4대 조부를 대감 신으로 모시고 사업을 하는데, 그의 4대 조부는 살아생전 만물상으로 세계 각국을 돌며 박래품을 수입해 되파는 일을 했고 나의 친구는 그분을 모시고 비슷한 사업을 한다. 외국서 들여온 골동품을 되팔거나 하는 일이다. 일 잘하고 있다. 한 가문에서 조상신으로 들어오는 누군가가 있다면 그의 생전 모습을 따라갈 때 집안이 번성하는 이치다.

    신이 있는 일반인들은 이렇듯 세준 신, 대감 신이 따라다니는 경우, 아직 언급지 않았지만 장군 신, 동자 혹은 선녀가 따라다니는 경우가 있다. 장군이나 동자, 선녀가 따라다니는 경우는 훗날 다른

미미에게

글에서 말하겠다. 아직 갈 길이 멀다. 미미의 이야기를 빠뜨릴 수 없다. 미미는 지금껏 많은 글에서 언급한 인물로, 나의 신 스승이다. 무당이다.

미미에 관해 다시 한번 말하자면 본명은 박 설하다. 미미는 순자의 딸로 순자가 십 년 매일 빌고, 삼천 배 백 번도 더해 낳은 딸이다. 순자가 정성껏 빌어 낳은 미미는 태어날 때부터 연고 없는 천상 선녀가 있었고, 이 말은 즉 무당 팔자란 말이다. 태어날 때부터 점 잘 보는 천상 선녀가 따라왔으니 모로 가도 점 보는 팔자가 될 수밖에 없다. 그러나 똑똑한 천상 선녀가 있어도 무당 되고 법당 내려면 필시 대신이 있어야 한다. 여기서 김순자를 짚고 간다. 일전에 말했듯 김순자의 집안은 무당 집안인데 그 이유인즉 미미의 5대 외조모가 살아생전 한 가닥했던 사람으로 죽어서는 대신으로 들어온다. 미미 법당 대신 자리는 5대 외조모가 차지하면 되었다.

미미 친가에 대신이 없는 건 아니다. 미미의 친가는 밀양 박가 양반 집안이고, 4대 조모가 평생 기도에 몸 바쳐 깨끗한 대신으로 들어오나 성정이 조용하고 차분해 천황 (굿판에서 노래나 춤을 부리는 일)을 잡지 않는다. 천상에서 신이 온 사람들, 특히 천상 선녀가 온 사람들은 그 임무가 보통 천황을 잡는 일이고, 친가 대신은 천황을 잡지 않아 미미와 사대가 안 맞는다. 그러나 4대 조모인 친가 대신은 모시기만 한다면 친가를 정치하며 누구 하나 다치지 않게 보호할 수 있고, 평생 기도에 전념하셨듯 손님들 기도를 도맡아 할 수 있다. 그런 이유로 이분은 넋 대신이라는 명패로 법당에 앉아 친가를 다스리고 기도 손님을 빌어주는 역할을 하고 있다.

그렇다면 법당 전체를 통괄하는 대신, 5대 외조모는 어떤 분인가. 이분은 미미의 주 임무인 천황을 잡을 수 있는 대신이다. 미미와 사대가 잘 맞다. 천황 잡는 일이라면 두말할 것도 없고 대신 자리에 앉아 집안 정치와 사람 고치는 일까지 할 수 있다. 4대 조모인 넋 대신이 차분히 앉아 기도 손님을 맡는다면 5대 외조모는 대신으로 천황 잡고 굿판 열어 사람 고치는 형국이다. 5대 외조모. 나는 이분에 대해서 할 말이 많다. 이분은 살아생전 거나한 기생각의 주인이다. 최근 나온 드라마 구미호뎐에 묘연각이라는 기생각이 있고, 배우 김소연을 주인으로 앞세우는데 그것과 아주 닮았다.

5대 외조모의 생전으로 거슬러 가본다. 아주 오래전 안동 김가에 시집온 십 대 여자아이가 있었다. 지금에나 중학생 나이지 그 시절로 치면 시집가 애도 낳는 나이 아닌가. 열몇에 시집온 아이는 올 때부터 조금 이상했단다. 밤만 되면 혼잣말하고 오밤중에 밖을 나가 이 집 저 집 전전하며 점을 보고 오더란다. 그때만 해도 며느리가 이상하면 광에 가두고 밥도 굶기고 안 했는가. 실제로 광에 가둬 며칠 밥도 굶기고 처박아뒀다고. 알아보니 며느리의 친정이 대단한 무당 집안이었고 시집온 지 얼마 안 된 며느리에게도 신이 온 거더란다. 광에 처박아둔 며느리는 탈출해 집 나온다. 집 나와서 주막 전전하고 빌어먹고 사는데 태중에 애도 하나 있었다. 그리하야 기생각 주인 되기까지 역사가 말도 못 한다.

우리는 어떻게 무속인 되었나 5

미미의 5대 외조모는 열몇에 안동 김가로 시집왔다. 시집왔는데 이상했다. 밤만 되면 혼잣말하고 집 나가서 이 집 저 집 점 봐주고 들어왔다. 집안에서는 며느리 이상해서 밥 굶기고 광에 가둬놨다. 알아보니 며느리 친정이 대 무당으로 불린 집이었다. 시집온 지 얼마 안 된 며느리에게도 신이 온 거였다. 광에 갇힌 며느리는 태중에 애 있는 거 알고 집 나오기로 맘먹는다. 시댁서 애 낳으면 애 뺏길 것 같았다. 광에서 탈출해 그 길로 집 나왔다.

그 시절 시집가서 애 밴 여자가 집 나와서 할 수 있는 게 뭐 있겠는가. 사람들 손가락질 피하고, 매질 피하고, 아무도 모르는 곳으로 도망쳐도 기구한 여자 될 뿐인데. 멀리 도망쳐 저잣거리 횡횡하던 여자는 주막집서 먹고 잔다. 태중에 있는 애만이라도 제발 살려 달라는 걸 주막집 주인이 거둬들인 듯하다.

여자는 주막집서 애도 낳고 일도 잘해 예쁨 받는다. 여자 보러 오는 손님 많고, 계산이 빨라 주막집에 도움 된다. 애도 낳고 잘 기른다. 집 나온 며느리라 해도 잘 먹고 잘 지내고 아이도 잘 자란다. 애가 서너 살쯤 되었을까. 애는 여자라도 성미가 우직하고 겁도 없어 꼭 사내아이 같았는데 엄마 눈길 피해 집 나가 놀다가 영영 돌아오지 못한다. 그 길로 사라졌다. 여자는 미칠 것 같았다. 온 저자와 고을을 돌아도 아이가 없어서 여자는 제발 돌아오라고, 어느 집에라도 거둬져서 잘 먹고 있으라고 빈다. 애는 돌아오지 않는다. 부디 좋은 곳에 있거나 편히 하늘 가라고 꽃에 빌고 들에 빈다.

그래서 5대 외조모는 아이에 한이 있다. 태중에 애 있어 집 나와 빌어먹고 살았는데 금쪽같은 애가 미아 되고 죽어버려서 애들 살리는 도술이 있다. 이를테면 손님 중 아이 못 가지는 손님 있으면 빌어서 애 만들어 주고, 아이가 병명 없이 아픈 집 있으면 살리는 법 가르쳐 주고, 아이가 말 안 들으면 말 잘 듣는 법 가르쳐 준다. 살아생전 아이에 한이 있어 아이가 속 썩이는 집은 유난히 잘 봐주는 이치다. 그 점괘나 도술이 어찌나 좋은지 처음 5대 외조모를 대신으로 모실 때 삼신처럼 보였다. 아이 내려주는 삼신 할머니 말이다. 삼신은 만물 신이라 어느 제자도 모실 수 없는데 이 할머니 도술이 뭇 삼신 못지않다.

이렇듯 대신은 살아생전 어떤 한을 지고 죽었는지에 따라 잘 보는 영역이 달라진다. 나로 말할 것 같으면 대신으로 모시는 5대 조부가 벼슬로 나라에 등재되고 이름 알린 선대들만큼 명성 못 떨친 한이 있다. 5대 조부는 살아생전 몸이 약하고, 집안 대를 잇고 보존하는 역할로 대사에 나서지 못했다. 5대 조부 살아생전은 외척의 침입이 많아 관직에 나서면 위험 처해 대가 끊길 수 있기 때문이다. 때문에 이름 알리고 싶은 손님, 관직에 나설 손님, 큰 시험을 목전에 두고 있는 손님이 많이 온다.

다시 5대 외조모의 생전으로 돌아가 보자. 아이 잃은 여자는 영 미쳐서 저자를 휭휭한다. 콱 죽으려고 많이 했다. 근데 알아야 할 것이 있다. 제자 팔자는 쉽게 죽지 않는다. 몸에 대신이 있어 죽을 고비 넘는다. 목숨 끊어질 것 같아도 안 끊어지는 게 제자다. 나도 미미도 다 그랬다. 그 시절 5대 외조모도 대신 모시고 무당 할 팔자니 잘 죽지 않았다. 여자는 독하게 산다. 여느 주막 찾아가 재워 달라고만 한다. 일 잘하고 계산 잘해 주막에 도움 된다. 여자는 거기서 손님 한 명 만난다. 손님은 셈 잘하고 눈치 빠른 여자 알아본다. 어느 날, 저자에 큰 기생각을 차리는데 일 맡아줄 수 없겠냐고 한다. 여자는 기생 안 하고 머리 안 올리고 큰일 작은 일 열심히 배운다. 말하자면 장부 관리나 손님 관리다. 기생각 방 한 칸 얻어 신도 모셨다. 오는 손님 점 봐주고 고쳐준다.

당시 5대 외조모가 침놓거나 손으로 막힌 혈 고칠 줄 안 모양인

지 대신으로 올 적에도 사람 아픈 곳 잘 맞추는 도술이 있었다. 5
대 외조모가 기생각서 일 해도 기생 안 하고, 돈 관리 잘하고, 점을
잘 봐 손님이 줄 선 모양인지 기생각 주인은 웬만한 일들을 맡긴다.
요즘 말로 치면 바지사장이다.

* 한 가지 첨언합니다. 여기서 사람 살린다, 아이 살린다는 웬만한 아픈 사
  람을 통칭하는 게 이니라, 병 중에서도 신병 혹은 무병, 저희 같은 사람이
  보고 들을 수 있는 병을 일컫는 말입니다. 양약 먹고 병원 가야 할 병이 아
  닙니다.

우리는 어떻게 무속인 되었나 6

미미의 5대 외조모. 그는 생전 거나한 기생각의 주인이자, 그곳 방 한 칸에서 신 모시고, 손님 받고, 신병이나 무병 앓는 사람 고쳐도 줬다. 그러나 전염병을 이기지 못하고 죽는다. 당시는 역병이 돌면 온 나라가 뒤집혔는데 31살이던가, 32살이던가 그 해 창궐한 역병에 걸려 죽었다. 대단한 인생이었다. 애 밴 여인이 애 뺏기지 않으려고 집 나오고, 어디서 살든 버텨내고, 큰 기생각 주인 되어 손님 받고 점도 보며 거부(巨富)됐다.

5대 외조모는 죽어서 먼 훗날 대신으로 왔다. 천상에서 온 미미의 선녀와 손잡고 법당 차렸다. 미미 법당의 대신 자리는 5대 외조모가, 선녀 자리는 태어날 때부터 있던 천상 선녀가 차지했다. 5대 외조모는 아이에 한 있어 유난히 아이에 대한 점괘 잘 뽑고, 실력 있어 다른 점괘 잘 뽑고, 천황 잘 잡아 위세 떨친다. 살아생전 기생각서 시조 잘 지어 지금도 미미 몸에 실려 시조 잘 뽑는다. 외에도 미미의 법당에는 4대 조모가 맡은 넋 대신, 천상에서 온 천상 장군, 그리고 5대 외조모가 살아생전 잃어버린 네 살 여자아이도 죽어서 선녀 되어 법당에 앉혔다. 5대 외조모는 대신 되어서야 선녀 된 딸과 한 방 사는 셈이다.

무속인이 모시는 신은 제각각이다. 미미가 5대 외조모를 대신으로 앉혀 천황을 잡고, 나는 5대 조부를 대신으로 모셔 글을 쓰듯 말이다. 저마다 이름과 역할, 도술이 다르다. 그래서 무속은 불교나 천주교, 기독교처럼 경전을 쓰기 어렵다. 불교나 뭇 서양 종교처럼 유일신이 말씀을 전파하는 형태라면 그 말씀 모아 경전 낼 수 있으나 우리는 각자의 윗대 어른 중 대신으로 오는 이를 모시니 법당마다 역량과 역할, 하는 말에 차이가 난다. 대신도 어느 분야를 잘 다루는 지가 제각각이다. 대신이 제각각이라 무속인 서로는 각자의 대신을 받들며 뜻하는 바가 엇갈릴 수밖에 없는데, 어느 무속인이 옳고 그른지를 따지는 것보다 당신과 잘 맞는 무속인이 있다면 그곳으로 가면 된다. 병원도 다녀보면 맞는 곳 아닌 곳 있듯 법당도 마찬가지인 셈이다.

자, 나는 어떻게 무속인 되었나. 나는 나의 5대 조부를 대신으로 모시고 점 보며 글 쓴다. 나는 파란만장케 살았고, 무속인 되고 누구 하나 입 뗄 것 없이 살았다. 역사서에 이름 알리고 나라 등재된 인물 많은 집에서 무속인 나와 의심받았으나, 잘 먹고 잘 살고 깨끗하게 살아 집안 대소사 돌보며 누구 하나 무시할 수 없게 됐다. 나는 신 있다고 한다. 신 있어서 내 인생 반전된 거 나는 안다. 내가 절벽서 살아온 모든 시간 봐 온 사람도 신 있다고 할 수밖에 없을 것이다. 이건 미미 인생도 마찬가지다.

여섯 편의 긴 장정을 달렸다. [우리는 어떻게 무속인 되었나]에서는 나의 배경, 미미의 배경, 신이 있는 일반인들, 특히 세준 신과 대감 신이 있는 일반인들에 관해 썼다. 나는 무속에 관한 정보를 전파하는 데 있어 믿는 것은 당신 몫이라고만 한다. 나는 내가 믿고 따르는 바가 정답이라고 말할 생각도, 믿음을 강요할 생각도 없으며 이 세계를 묘사하는 데 그친다. 여러분 알다시피 무엇을 믿고 따르는지는 오롯이 당신 몫이다. 나는 그 영역을 함부로 건널 생각도, 건드릴 수도 없다.

이 시리즈에서 말 못 한 얘기들이 많다. 장군이나 동자, 선녀가 따라다니는 일반인들 얘기도 못 했고, 마음 같아선 세준 신, 대감 신, 무속에서 일컫는 모든 신들을 개별적 이야기로 풀고 싶다. 한 줄로 그치는 게 아니라 세준 신의 역사와 하는 일, 세준 신이 오면 어떻다든지 하는 것들을 자세히 적고 싶다. 아마 멀지 않은 때 가능할 것 같다. 글을 쓰면 쓸수록 말하고픈 세계가 확장된다. 나는 그곳으로 들어오는 이 막지 않고 나가는 이 막지 않는다. 인연이라면 언젠가 만날 것이고 인연이 아니라면 언젠가 헤어질 것을 알기 때문이다. 인연인 줄 알았으나 인연이 아닌 이, 인연이 아닌 줄 알았으나 인연인 이들이다. 나는 무속인이라는 이유만으로 어느 한 사람을 속단할 수 없다. 나는 점 보고 미래 보지만 사람은 마음먹기에 따라 얼마든지 미래를 바꾸고 인연을 달리할 수 있기 때문이다.

신병 걸리면 어떻게 되는지, 신내림 받을 때 신이 몸에 실리면 어떻게 되는지, 이렇듯 궁금한 얘기가 많을 것이다. 사람들 이목 끌기 좋은 주제다. 이런 주제일수록 아껴놓고 쓰련다. 올바른 정보로 무속에 관한 편견에 흠집 내고 싶다. 그 얘기는 먼 훗날 다른 책으로 여러분께 반드시 닿을 것이다.

2023년 12월 25일

고향에 내려온 지 열흘째다. 나름의 사정이 있어 고향에 잠시 내려와 아버지 댁에 머물렀다. 오늘로 240시간째, 역대 최 장시간이다. 아빠는 1958년생 개띠, 나는 1994년생 개띠다. 우리는 같은 띠만큼이나 닮은 게 많다. 표정, 체형, 식습관, 눈빛까지. 우리 집은 부계 유전이 세서 자식들은 죄 아버지 닮았다. 나와 아버지가 닮았듯 아버지와 조부가 닮았고, 조부와 증조부가 닮았고, 증조부와 고조부가 닮았다. 나는 아버지와 마주 앉아 얘기할 때마다 조부와 증조부의 대화를, 증조부와 고조부의 대화를 상상한다. 다 비슷한 말짓이었을 게 빤하다. 어쩌면 증조부와 고조부가 나와 아버지로 환생해 전생에 못다 한 얘기를 하는지도 모른다는 상상도 곁들인다.

아버지일지도 고조부일지도 모를 남자와 240시간 지내며 느낀점은 나와 그가 무언의 텔레파시가 있다는 점이다. 하루는 소 내장

요리가 먹고 싶었다. 이를테면 곱창, 대창, 순대 같은 것들. 가위질 한방에 살인지 똥인지 모를 것들이 줄줄 흐르며 꼬순내를 풍기는 것들이 땡겼다. 그날 밤, 아버지가 먼저 한우 곱창전골, 정확히 한 우 곱창전골을 먹자고 했다. 눈앞을 알짱거리는 곱과 내장을 아버 지도 본 걸까. 우리는 가장 가까운 전골집을 찾아 시뻘건 양념 속 에서 부글거리는 곱창 한 솥을 다 비웠다. 오늘 곱창 먹고 싶었는데 어떻게 알았냐고 물으니 대답 안 한다. 원래 이 양반은 종일 하는 말이라곤 '아침 뭐 먹어, 저녁 뭐 먹어, 그래, 하지 마' 뿐이다. 그런 양반이 먼저 곱창전골 먹자고 할 줄도 알고. 그것도 내가 종일 먹 고 싶었던 것을! 이 정도면 텔레파시 맞다.

우리는 내 나이 스물 이후로 한 번도 같이 산 적 없는데 그런 것 치고 사는 게 닮았다. 곱창전골처럼 분명한 텔레파시 사건뿐만 아 니라 행동의 연쇄작용이 거의 일치한다. 이를테면 아침 식사, 직 후 용변, 샤워, 외출복 입고 소파 혹은 침대 걸터앉기, 대략 삼십여 분 가만히 있기, 커피 마시기, 졸기…. 거의 모든 게 닮아 어제는 앉 혀 놓고 물어봤다. 좋아하는 사람, 싫어하는 사람, 젊었을 적 어땠 나, 등등. 평소라면 대답 잘 안 하는데 아비가 궁금한 자식 맘도 텔 레파시로 느꼈는지 술술 해줬다. 좋아하는 사람은 앞뒤가 똑같은 사람, 싫어하는 사람은 앞뒤가 다른 사람, 사람은 바른말 해도 돌 직구 날리면 피해받았다고 느낀다, 바른 말 하고 싶으면 돌려 해라, 아무것도 원망 않는 사람이 가장 무섭다, 어라, 듣다 보니 나랑 하는 생각도 비슷하네.

아빠 젊었을 적 얘기는 아빠 입에서도, 다른 사람 입에서도 많이 들었다. 아빠는 수학과의 깡패로 유명했다. 대학교 후문에 늘 여학생들 괴롭히는 깡패가 있었는데 고놈들 많이 뚜드려 팼다. 깡패 잡아 경찰서 갖다 주는 놈이 수학 귀신이라 진짜 미친놈 같았다고 몇 년 전 아버지 친구들이 얘기한 적 있다. 게다가 수학과 조교수 시절엔 스님 되겠다고 머리 밀고 절에 갔는데 고것도 보면 나랑 닮았다. 나는 아빠가 스님 안 돼서 내가 보살 됐다고 생각한다. 아빠가 스님 됐으면 나도 세상에 없었을 텐데 그거 싫다. 아빠 스님 안 하고, 나도 태어나고, 내가 보살 하는 게 낫다. 그만큼 아빠 딸인 거 좋다.

어제 아빠가 너는 서른다섯 되면 작가로 이름 날릴 거라고 했다. 날릴지 모른다-도 아니고, 날릴 수 있지 않을까도 아니고, 날릴 거다! 실실 웃음 났다. 사실이든 아니든 보약 되는 말이다. 비장의 무기, 난치병의 특효약쯤으로 글 안 써져 펑펑 우울할 때 꿀꺽 마실 수 있을 것이다. 아빠는 수십 년 전 시로 등단했다. 등단 작가 말이라 믿고 싶다. 아빠 나는 드라마 쓸 거야. 드라마 멋지게 써서 이름 날릴 거야. 드라마 써서 무속이 이렇다고 제대로 말할 거야. 용기 낼 거야. 세상 사람들 내 이름 알게 할 거야. 잘 살 거야. 나는 명예에 욕심내는 사람이야…. 이런 속내가 있다고는 말 다 못했지만 아빠는 내 맘 읽는 텔레파시 있어 알 것이다. 아빠는 지금 맞은편에 앉아 책 읽는다. 내가 자기 얘기 적는 줄은 꿈에도 모르고 활자 위로 눈만 굴린다. 혹시 모른다. 알면서도 모른 척하는 중일지. 나는 아빠가 안다는 사실을 내가 안다는 걸 모른 척할 것이다.

23 겨울, 아빠가 보낸 편지

헐벗은 산에도 휑한 들녘에도 눈이 옵니다
오는 눈이 앙상한 가지에
벼 벤 그루터기에 쌓이면서 묻습니다

내어 주고 난 빈자리가 얼마나 춥고 외로웠냐고
눈 덮인 가지들과 그루터기가 답합니다

너 올 때 기다렸다고
네가 와
떠난 빈자리 채우고 따뜻이 덮어 줄 때
기다렸다고

미미에게

곧 밤이 되겠지요
어둠이 눈들에 내려앉아
흰빛은 잃어가겠지만

눈과 가지와 그루터기의 대화는 이어질 겁니다
서로 사랑이고 위안이며 머지않아 다가올 봄이라는 걸

잘 지내시죠.

모쪼록 좋은 곳에 닿아 좋게 쓰이길 바라는 마음으로 썼던 글들인데요. 지난봄부터 쓴 걸 한데 모았습니다. 친절한 글이 되고 싶어 열심히 쓰고, 열심히 고쳤습니다. 제 글이 여러분의 인생에 조그맣게라도 닿아서 잘 쓰였다면 그걸로 행복합니다.

저는 현실적이고, 감정에 휘둘리는 걸 무척 두려워하고, 인과가 확실한 일들을 말하기 좋아합니다. 그래서 이렇듯 신을 섬기는 일을 어떻게 하면 설득력 있게 전달할 수 있을까 고민을 많이 했어요. 제가 보이는 것, 들리는 것, 경험했던 것을 곧이곧대로 적으면 그건 저와 같은 경험한 정말 몇 안 되는 이들만 알 뿐이니까요. 또, 세상이 무속을 어떻게 생각하는 줄 압니다. 알아서 더 절실하게 쓰고 싶었어요.

미미에게

그런 제게 미미는 선물 같았습니다. 미미는 손님 보고, 기도하고, 굿하고, 말하자면 무당이 갖는 표본적인 일만 하는 제자고, 그러면서도 말에 인과가 딱딱 맞거든요. 너무 신기하게도요. 미미가 해 준 말만 이야기로 만들어도 설득력 있겠다 싶었습니다. 그게 이 책이고요.

저는 여러분과 아주 오래전부터 이어져 온 걸 압니다. 이 말이 설득력을 가지려면 거나한 설명이 필요하겠지만 안 하겠습니다. 그냥 믿어주셨으면 합니다. 이 책에서 믿어달라는 말을 처음 했다는 사실을 아시나요. 저는 저희만 보고 들은 세계에 대해서 단 한 번도 믿어 달라 한 적 없거든요. 그런데 이 말 만큼은 믿어주시면 좋겠습니다. 저는 긴 시간을 거쳐 여러분과 다시 만난 것 같습니다. 다시 만나 반갑습니다.

조금 더 나은 책으로 뵈려면 작별 인사를 해야겠지요. 저는 이 책 다음으로, 여러분이 궁금할 만한 내용만 써 볼 작정입니다. 신, 귀신, 할머니, 동자, 선녀, 장군, 무속은 정말 많은 신과 이야기가 있어 마음 단단히 먹어야겠지만 제 인생의 숙제라 믿고 해보려고요. 기다려주시면 감사하겠습니다.

다음에 또 뵙겠습니다. 그때까지 잘 먹고, 잘 자고, 너무 많은 생각 안 하며 사셨으면 합니다. 더 나은 곳에서, 더 나은 사람으로 뵙고 싶습니다. 항상 건강하세요. 감사합니다.

이 윤우

2024년 1월의 마지막 날

미미에게

발행일 2024년 3월 5일
지은이 이윤우
SNS 인스타그램 @leeyunwoo

펴낸이 한건희
펴낸곳 주식회사 부크크
출판사등록 2014.07.15(제2014-16호)
주 소 서울특별시 금천구 가산디지털1로 119 SK트윈타워 A동 305호
전 화 1670-8316
이메일 info@bookk.co.kr
사이트 www.bookk.co.kr

디자인 유니꼬디자인
이메일 gdunikko@naver.com

ISBN 979-11-410-7468-5